KB172038

음악적 표현

악센트, 뉘앙스, 템포

마티스 루시 지음 / 이수경 · 유경은 옮김

BOOKK

Musical Expression,

Accents, Nuances, and Tempo,

in vocal and instrumental music

● 음악적 표현에 대한 인지심리적 연구의 선구자, 마티스 루시

표현expression이란 무엇을 의미할까? 어원적으로 ex-press는 밖으로 압박하여 밀어내는 것이다. 이에 반해 im-press는 안으로 밀착해 찍어내는 것이다. 우리가 느끼고 경험하고 생각하는 모든 것은 내면의 잠재의식에 결코 사라지지 않을 기억흔적으로 찍혀 모두 남겨진다. 그러나 표현의 측면에서, 내면의 인상은 밖으로 표출될 수도 그렇지 않을 수도 있다. 표현의 방식도 말로서, 글로서, 소리로서, 몸동작으로서 등 다를 것이고, 그 양식도 지역과 시대, 문화와 사상, 개인에 따라 다를 것이다.

음악에서 표현적expressive 또는 표현성expressiveness이란 무엇일까? 표현은 다만 감정의 영역일까? 아니면 음악적 구조와 관련될까? 서양음악의 연주 전통에서 음악적 표현을 구조적으로 고찰한 최초의 인물이 있다. 스위스 태생의 피아니스트이자 음악 교육자인 마티스 루시Mathis Lussy, 1828~1910이다. 루시는 생애 대부분을 파리에서 보내며 여러 제자를 길러냈고, 중요한 연구 집필을 다수 남겼다. 이 책은 루시가 1874년에 출판한 『음악적 표현에 대한 논저: 악센트, 뉘앙스, 템포』[1]를 번역한 것이다.[2] 이렇게 오래된 연주이론서를 정확히 150년 후인 2024년에 한국에서 번역출판하는 게 무슨 의미가 있을지 의아해하실 분들이 있을 것 같다.

---

1) Mathis Lussy, *Traité de l'expression musicale: accents, nuances et mouvements*, Paris: Heugel et Cie, 1874. (여기서 mouvements는 템포 의미)

2) 프랑스어 원본이 아닌 M. E. von Glehn에 의한 영역본을 번역함. Mathis Lussy, *Musical Expression: Accents, Nuances, and Tempo in Vocal and Instrumental Music*, translated by M. E. von Glehn, London: Novello and Co., 1892.

한국 독자분들께 마티스 루시라는 인물은 생소할 수 있다. 그러나 유리드믹스eurythmics 리듬교육법으로 유명한 달크로즈Émile Jaques-Dalcroze, 1856~1950를 모르는 음악인은 없을 것이고, 자녀의 예술교육에 관심 있는 이라면 음악 비전공자라도 유리드믹스에 친숙할 것이다. 그런데 그 달크로즈의 음악관에 결정적인 영향을 미친 이가 마티스 루시이다. 달크로즈는 파리에서 루시에게 10년간 피아노 교육법을 수학하며 루시의 표현적 연주이론에 크게 영향받았다. 달크로즈는 루시가 자신에게 음악적 표현에 대한 모든 것을 가르쳐주었다고 고백하며, 음악가들에게 루시의 책을 주의깊게 연구하라고 누차 강조했다.[3] 그렇다고 현시점에서 루시를 재론하는 이유가 다만 달크로즈와의 영향 관계 때문은 물론 아니다.

현대 음악학은 신경과학 및 인지심리학적 연구와 매우 밀접한 관련 속에 진행되고 있다. 음악학의 여러 분야 중 특히 박자와 리듬, 연주자의 신체 움직임, 표현성과 감정, 인지적 사고 등의 연구 영역에서 (이전 세기 동안 그늘에 감추어져 있던) 루시의 연주이론이 새롭게 재조명되고 있다. 루시 이론을 집중적으로 연구한 피아니스트이자 연주이론가인 미네 도간탄Mine Doğantan은 루시의 연구가 현대 연주음악학과 인지심리학적 음악 연구의 매우 중요한 초석이 되었다고 평가한다.[4] 흔히 음악적 표현 연구의 창시자로 미국의 심리학자 칼 시쇼어Carl Seashore, 1866~1949를 들지만, 음악적 표현에 대한 최초의 체계적이고 경험적인 연구는 그보다 앞세대인 마티스 루시에

---

3) Émile Jaques-Dalcroze, *In le rythme, la musique et l'éducation*, Paris: Jobin et Cie, 1920, p. 42, p. 98.

4) Mine Doğantan, "Philosophical Reflections on Expressive Music Performance," *Expressiveness in music performance: Empirical approaches across styles and cultures*, edited by Dorottya Fabian et al., Oxford University Press, 2014, p. 3.

의해 수행되었다.[5] 루시의 기념비적인 연구는 19세기 음악이론과 20세기 초에 탄생한 심리학 연구의 교차로에 위치하며, 음악적 표현을 인지적·정서적인 차원에서 음악적 구조 지각의 보편적 원리로서 고찰하였다.[6] 즉, 현시대에 루시 이론이 지니는 가장 큰 의미는, 그가 음악적 표현성을 감정만의 또는 이성만의 영역으로 국한하지 않고, 신체 움직임에 기반한 인지와 정서의 조화로운 표출로서 사고했다는 점에 있다.

이 책에서 루시는 음악적 강세를 '박절metrical 악센트', '악구rhythmical 악센트'[7], '표현expressive 악센트'의 3가지 종류로 구분한다. 박절 악센트는 박자 구조의 강박에 오는 악센트로서 '본능'의 영역에서 신체적인 박동을 자극한다. 악구 악센트는 종지감을 지닌 리듬 조합 또는 악구 단위에 의한 악센트로서 '지성'의 영역에 호소한다. 표현적 연주의 출발점은 늘 악구 구조에 대한 주의 깊은 분석에서부터 시작한다. 루시는 박절 악센트와 악구 악센트의 구조적 원리와 법칙들에 대해 상세히 기술한다. 루시에 의하면, 이 두 악센트는 '끌어당김, 규칙성, 대칭성'에 대한 인간적 욕구에서 기인한다. 우리는 음악에서 어떤 한 음을 다른 음보다 선호하여 (힘의 차이를 두어) 듣고, 주기적으로 반복되는 강세를 느끼며, 연속적인 음악적 사건에서

---

5) 위의 책, p. 3.

6) Mine Doğantan, *Mathis Lussy: A Pioneer in Studies of Expressive Performance*, Lausanne: Internationaler Verlag der Wissenschaften, 2002, p. 37.

7) 루시의 연구에서 '리듬'의 의미는 단순한 모티브에서부터 보다 넓은 악구 단위에 이르기까지 의미를 지닌 음악적 사건의 그룹을 뜻한다(William Caplin, "Theories of musical rhythm in the eighteenth and nineteenth centuries", *The Cambridge History of Western Music Theory*, edited by Thomas Christensen, Cambridge University Press, 2002, p. 676). 그러나 일반적으로 현대 음악학에서 '리듬'이란 용어는 자극과 자극 간의 시간 거리(IOI)를 뜻하며, 루시가 지칭한 '리듬'은 엄밀히 말해 프레이징의 개념에 해당한다. 이에 이 책에서는 rhythmical accent를 '악구 악센트'로 번역하였다.

귀에 휴식감을 주는 일련의 리듬 조합, 즉 악구를 통해 대칭성을 예감한다. 루시의 연주이론은 이렇듯 구조적이면서도 심리적이다. 음악 지각에서 좋은 연결과 규칙성을 우선하는 루시의 관점은 이후 20세기 초 독일에서 정립된 게슈탈트 심리학의 형태 지각 원리와 상당히 일치한다.[8]

기존의 질서와 규칙을 깨트리며 예상치 못한 불규칙성이 나타날 때, 표현적 악센트가 형성된다. 표현 악센트는 '감정'의 영역에 특히 호소하며, 다른 두 악센트보다 더 강한 인상으로 특권화된다. 예상에서 빗나가는 낯선 음이 정서적으로 더 큰 인상을 준다는 익숙한 진실은 여러 음악학자가 지적하는 바이다. 가장 폭넓게 수용되고 있는 이론으로 마이어Leonard B. Meyer, 1918~2007의 음악의 감정과 의미론이 있다. 마이어와 루시의 차이가 있다면, 마이어가 "기대"를 언급할 때 루시는 "욕망"을 언급한다는 점이며, 즉 다시 말해, 마이어는 주체의 외부 환경과 외적 자극에 초점을 두지만, 루시는 주체 내부의 움직임에 더 초점을 둔다는 차이이다.[9] 결국 표현 악센트는 뇌의 예측 모델에서 벗어난 예상 밖의 특별한 사건을 통해 발생하며, 이러한 인지적 특이성이 미적·정서적으로 강렬한 인상을 남긴다.

루시의 연주이론은 서양 조성음악을 바탕으로 한다. 그러나 그것이 인간의 보편적인 음악 지각, 본능적 추론과 정서, 예측과 이탈, 강세와 박자감, 템포와 뉘앙스, 프레이징의 원리를 거론하고 있는 이상, 그 구체적인 음악적 맥락은 다르더라도 그의 음악적 표현 이론이 비서구음악의 해석에도 적용될 수 있는 바가 없지 않을 것이다. 한국 전통음악의 표현적 요소인 시김새를 예로 들면, 그것이 음조직과는 무관한 개인적·정서적 영역인지 아니면 선법 등 구조적인 맥락과 연관되는 요소인지, 의견이 나뉜다.

---

8) Doğantan, *Mathis Lussy*, p. 45.

9) 위의 책, p. 51.

한편, 음악의 악센트, 다이내믹, 템포 외에도 이 책에서는 상세히 다루어지지 않았지만, 루시의 이론에서 '호흡'과 '제스취'는 특히 중요한 위치를 점한다. 루시는 악센트와 프레이징에 있어 '호흡'에 큰 가치를 부여했다.

> 호흡은 들숨과 날숨이라는 두 가지 생리적인 움직임으로 구성된다. 들숨은 행동의 화신이고, 날숨은 멈춤과 휴식을 나타낸다. 날숨은 소절의 강박, 즉 발을 내딛는 **내림박**thesis, 타격으로 상징되고, 들숨은 약박, 즉 발을 드는 **올림박**arsis에 해당한다.10) [진한 글자; 루시 강조]

신체 움직임을 통해 음악을 체험하는 달크로즈의 유리드믹스 지도법도 루시의 '음악적 호흡'에서 영감받은 것이다. 또한 루시는 음악과 신체 동작 간의 관계에도 큰 의미를 두며 이를 연구하고자 했다.

> 어떤 음악적 구조와 그것이 불러일으키는 제스취 간의 관련성을 분석하는 일은 호기심을 자아내는 흥미진진한 연구이다. 이 주제에 대한 고찰은 우리를 너무 지나치게 멀리 나가게 할지 모른다. 그러나 특정한 박절 형태가 성악가뿐만 아니라 악기 연주자에게도 자연스러운 제스취와 움직임을 유발한다는 점은 사실이다.11)

루시는 '몸'과 '움직임'의 중요성에 대해 선견지명을 지닌 셈이다. 현대 음악학에서 '제스취' 연구는 직접적인 몸의 움직임과 신체화된 인지 연구에서부터, 음악에서 내러티브를 형성하며 가상의 세계를 경험하게 만드는 의미있는 '음악적 움직임'으로서의 '제스취'까지 다양하게 펼쳐진다. 실은 감정도 '몸'에 기인한 뇌의 추론일 뿐 실재하는 것은 느낌이다.

---

10) Mathis Lussy, *Le rythme musical*, Paris: Heugel et Cie, 1883, p. 3.

11) Lussy, *Traité de l'expression musicale*, p. 89; 이 책의 본문, 73쪽.

그렇지만 루시의 연주이론이 모든 점에서 완벽하다고 할 수는 없을 것이다. 루시의 연구가 음악 실기 교육자들에게 대단한 영향력을 발휘했지만, 이론적으로 비판적 평가도 따랐다. 루시가 분석했던 안톤 루빈스타인 등과 같은 거장들에게 공통으로 나타나는 표현적 일치성이 사실임에도 불구하고, 그들과 다른 해석으로도 음악적 표현성은 발휘될 수 있을 것이다.[12] 또한 예측에서 벗어난 불규칙성만이 음악적 표현성을 대표하는 것은 아니다. 규칙적이고 안정적인 음악도 표현적일 수 있다. 그리고 (19세기라는 시대적 한계일 수 있지만) 음악의 표현성은 음악적 구조 자체와 개인적 역량만으로 설명되는 것이 아니라, 그것의 작동 방식에는 역사적·사회문화적 맥락과 정치적 함의도 작용한다는 점을 고려해야 한다.

끝으로 번역에 있어 몇 가지 사항을 일러둔다. 음악용어는 문맥에 비추어 한국에서 통용되는 익숙한 용어를 사용했다. time은 지시하는 의미에 따라 주로 박자나 템포로 번역했고, 악센트·뉘앙스·템포는 되도록 그대로 사용했다. 리듬은 대개 악구로 번역했고, 때에 따라 리듬으로 쓰기도 했다. 예시 악보에 표기된 악센트, 셈여림, 이음줄 등은 대부분 루시의 표기에 따랐다.[13] 이 책이 연주자·작곡가·이론가, 그리고 음악을 배우고 이해하고자 하는 모든 이들에게 쓰임새 있기를 바란다.

2024년 2월

이수경·유경은

---

12) Michael D. Green, "Mathis Lussy's Traité de l'expression musicale as a Window into Performance Practice," *Music Theory Spectrum* Vol.16(2), 1994, pp. 196~216.

13) 간혹 오류를 수정했고, 이해를 돕고자 때로 전후 몇 마디를 더 추가하기도 했다.

● 저자 서문

음악의 대중화는 최근 놀라운 진전을 이루었지만, 표현적인 연주보다 기교가 화려한 연주가 훨씬 더 흔하며, 음악의 본질인 '표현'은 여전히 소수의 재능을 타고난 영혼들의 특성인 것처럼 생각되고 있다. 이는 다음의 두 가지 사실을 대변한다. 하나는, 음악가만이 음악에 전념하던 예전과 달리 이제 모든 사람이 음악을 배우는 시대라는 점이고, 다른 하나는, 음악 지도와 관련해 악센트, 뉘앙스, 템포 조절에 대한 실용적인 지침을 담은 책이 단 한 권도 없다는 점이다. 난이도 있는 곡은 말할 것도 없고 간단한 곡조차 표현적으로 연주하기 위한 지침서가 없다.

음악적 감각은 타고나는 것이 아니다. 확실히, 출중한 교수들은 거장 작곡가들의 성악곡과 기악곡에서 악센트, 뉘앙스, 프레이징을 어떻게 처리할지 알려주며 음악 감각이 부족한 연주자들에게 도움을 주었다. 이러한 지침을 정교하게 익히고 따름으로써 평범한 연주자들이 예술적 감각을 습득할 수 있었다. 그러나 교수들이 모든 음악에 대한 지침을 알려주기란 불가능하며, 그것이 가능하다 할지라도 그들은 연주자에게 그러한 지침에 대한 음악적 근거를 알려줄 수 없다. 사실 교수들은 자신이 그렇게 해석하는 데 대한 합당한 이유를 설명하지 못하며, 그렇기에 그 지침은 시범으로만 제시될 뿐 지성에 호소하지 못한다. 그들의 지도는 정확히 어디에 악센트를 주고, 어디에서 느려지고 어디에서 빨라질지 등을 보여주지만, 그 음악적 근거를 설명하지 못한다.

정말 필요한 것은, 연주자가 왜 본능적으로 다른 어떤 방식보다 하나의 특정 방식을 선호하는지, 예를 들어 왜 그곳을 포르테가 아닌 피아노로 연주하고, 왜 점점 빨라지지 않고 점점 느려지도록 연주하는지 등의 음악적 근거를 아는 일이다. 음악가들은 이러한 변화가 자신들의 상상력과 기분에 의한 것으로 생각하지만, 사실 음악 연주에서조차도 모든 것은 인과관계와 연결성, 그리고 법칙에 의한 것이다. 진정한 예술적 해석이라면 단 하나의 음이라도 임의로 악센트를 줄 수 없다.

이 책의 목적은 음악적 표현에 관한 지금까지 알려지지 않은 논리적 근거들을 제시하고, 모든 성악곡 및 기악곡을 표현적으로 연주·해석할 수 있는 체계적 규칙을 제공하는 것이다. 따라서 이 책은 다른 모든 연주 방법을 보완하는 역할을 하며, 성악이든 기악이든 음악에 종사하는 모든 사람을 독자로 한다. 예술가와 교수들에게는 왜 그렇게 표현하는지에 대한 이해하기 힘든 법칙들을 상세하게 설명하고, 독학하는 아마추어와 학생들에게는 특정 곡뿐만 아니라 모든 종류의 음악에 적용할 수 있는 악센트, 뉘앙스, 템포에 관한 규칙을 제공한다.

이러한 규칙들은 독창적이거나 새로운 것이 아니다. 위대한 거장들은 이 규칙들을 옛날부터 무의식적으로 따랐으며, 예술가와 미적 감각이 있는 이들도 항상 이 규칙에 본능적으로 순응해 왔다. 그러므로 나의 임무는 그저 그것들을 발견하고 분류하여 체계화하는 것이다. 이러한 발견과 체계화 작업이 비록 완벽하지 못하더라도, 앞서 언급한 바와 같이 기존 음악교육 시스템이 지닌 문제점을 일정 정도 해결할 것으로 본다. 일시적 우연이 과학적 방법에 자리를 양보하듯, 음악적 표현은 감정의 독점적 영역을 벗어나 이성의 영역으로 들어서게 될 것이다.

감정은 개별적이고 간헐적일 수 있고, 이성은 보다 일관적이고 보편적일 수 있다. 따라서 이성으로 감정을 설명하며 뒷받침하는 것은 본질적으로 감정을 알기 쉽게 대중화하는 접근 방식이다. 음악가들이 악센트, 뉘앙스, 랄렌탄도, 아첼레란도 등 모든 표현 기법의 논리적 근거를 음악적으로 합당하게 설명할 수 있을 뿐만 아니라 예술적인 감정을 담아 음악을 표현적으로 연주할 수 있게 된다면, 이 연구에 바친 수개월의 기간이 결코 헛되지 않을 것이다. 이 소망이 이루어지기를 바란다!

기악과 성악을 막론하고 음악에 종사하는 모든 이들을 대상으로 나의 규칙을 쉽게 적용할 수 있도록 노력하다 보니, 유감스럽게도 많은 예시를 현대 작품에서 가져와야만 했다. 예술적 가치와 관계없이 잘 알려진 성악곡이나 피아노곡 중에서 선율 또는 화성에 해당하는 것들을 예시로 선택했다. 표현적 요소의 생성은 악구 구조에 내재하며, 아무리 단순한 기악곡이나 무용곡조차 종종 베토벤이 작곡한 패시지와 같은 음악적 통찰을 제시해 줄 수 있다. 물론 특정 악기로 연주할 수 있는 능력을 갖추려면 특별한 교육이 필수적이다.

이 책을 이해하는 가장 좋은 방법은 피아노 앞에 앉아 책에서 제시한 예시 악보들을 적절한 템포로 주의 깊게 연주하며 공부하는 것이다.

마티스 루시

차 례

음악적 표현에 대한 인지심리적 연구의 선구자, 마티스 루시 5
저자 서문 11

제*1*장 표현의 발생원인 18

제*2*장 음악적 표현 이론 26

제*3*장 음악적 표현 현상 36

제*4*장 박절 악센트 42
홑박자 44 | 겹박자 47 | 혼합박자와 폴리리듬 54 | 박절 악센트 규칙 55 | 박 66 | 실습 73

제*5*장 악구 악센트 78
규칙 악구와 불규칙 악구 84 | 강한 악구와 약한 악구 90 | 리듬악구의 첫음 98 | 종지 어법 103 | 소악구와 리듬단편 109 | 기악곡의 악구 법칙 111 | 기악곡의 리듬단편 114 | 기악곡의 악구 분석 143 | 음악적 운율: 음악과 가사의 관계 157 | 악구 악센트 규칙 172 | 실습 188

제*6*장 표현 악센트 190
박절적 특수성 192 | 악구적 특수성 195 | 조성 · 선법적 특수성 212 | 화성적 특수성 220 | 실습 234

제7장 감정적 요소 238
아첼레란도 244 | 랄렌탄도와 리타르단도 255 | 실습 277

제8장 뉘앙스와 소리의 강도 280
뉘앙스 규칙 282 | 뉘앙스 규칙의 적용 304 | 실습 310

제9장 적정 템포와 메트로놈 수치 314

역자 후기 331

제1장

표현의 발생원인

제1장 표현의 발생원인

20년 전 나는 영광스럽게도 파리에 있는 유명 학교 중 한 곳에 피아노 교수로 부임하게 되었다. 학장이 나를 학생들에게 소개하며 이렇게 말했다. "배우면 곧 잊어버리는 곡이 아니라, 모든 곡의 표현적 원리와 규칙을 학생들에게 가르쳐 주시기 바랍니다."

이 말이 내게 어떤 계시처럼 다가왔다. 그 요구를 충족시킬 수 없는 무능함을 느끼며, 나는 즉시 음악적 표현에 대한 논문들을 찾기 시작했다. 그러나 실망스럽게도, 어떤 언어로도 관련 연구를 찾을 수 없었고, 그 후로도 그런 내용의 책은 없다는 사실만을 확인할 수 있었다. 그래서 20년 동안 나는 우리 시대 최고 예술가들의 연주를 주의 깊게 들었고, 그들 마음의 움직임을 따라가며 특히 감정을 움직이고 흥분시키는 패시지들과 음들을 표시하였다. 또한 모셸레스Moscheles,[1] 마르몽텔Marmontel,[2] 르 쿠페Le

1) [역주] Ignaz Moscheles(1784~1870). 19세기 초 체코-독일계 작곡가이자 피아니스트, 라이프치히 음악원 피아노 교수. 베토벤, 멘델스존 등과 교류. 베토벤은 그의 능력을 높이 평가하여 오페라 《피델리오》의 피아노 편곡을 맡겼음.

Couppey[3])와 같은 교수들이 베토벤과 모차르트 등의 곡 해석에서 제시한 다양한 주석과 악센트 붙임을 비교했다. 이런 인내심 어린 관찰과 세밀한 연구를 통해, 유사한 패시지에서 섬세함의 정도 차이가 있을 뿐 예술가들이 감정과 기교에 있어 동일한 표현법을 사용한다는 것을 확신할 수 있었다.[4]) 음악이든 글이든 다양한 예술가들의 이러한 표현적 동일성으로부터 다음과 같은 결론을 얻었다.

1. 예술가들은 모두 동일한 근원으로부터 서로 얼마간 정도의 차이가 있는 같은 인상을 받는데, 이는 유사한 원인이 유사한 결과를 생성하기 때문이다.

2. 이러한 표현성은 악구의 다양성에 따라 변화하는 것이지, 연주자 개인에 따라 변하는 것이 아니다. 그러므로 음악적 표현의 근거는 음들과 악구 구조에 존재하며, 그것들로부터 찾아야 한다는 것이 명백한 진실이다.[5])

3. 위대한 예술가들은 자기 감각에 따라 내키는 대로 연주하지 않는다. 위대한 연주에서 드러나는 예술적 표현의 만장일치 된 공통점은, 예술가들이 비록 그들을

---

2) [역주] Antoine François Marmontel(1816~1898). 19세기 프랑스 작곡가이자, 피아니스트, 파리 음악원 교수. 피아노 교육과 음악 해석 관련 중요 저서 집필.

3) [역주] Félix Le Couppey(1811~1887). 19세기 프랑스 작곡가이자, 피아니스트, 음악 교육자. 피아노 교육법 저서를 집필하여 많은 피아니스트에게 영향을 줌.

4) 성악가 말리브란[Malibran], 손탁[Sontag], 프레졸리니[Frezzolini]가 같은 곡을 정반대의 방식으로 불렀고, 각 곡에 특정한 모양새를 부여했다고 반박할 수 있다. 그러나 이러한 주장이 나의 결론을 반박하지는 못한다. 이 가수들은 모두 그들의 특별한 자질 덕분에 성공을 거두었다. 그중 하나는 교감기관의 완벽함과 엄청난 실행력이고, 다른 하나는 강력하고 섬세한 감정과 정교한 감각이다.

5) 여기서 구조란 하나의 악구를 다른 악구와 구분시키는 시각적 이미지이다. 악구 구조는 각 마디에 포함된 음들, 그 음들의 의미와 움직임, 순차 또는 도약 진행, 임시표에 의한 변화음, 성부의 수 등에 의해 결정된다.

이끄는 무의식적 힘을 의식하지 못하더라도, 그들이 결국 예술적 표현의 보편성에 굴복하여 저항하지 못한다는 점을 증명한다.[6]

따라서 음악적 표현에는 임의적인 것이 없으며, 모든 자연현상과 마찬가지로 음악적 표현성도 일정한 법칙에 따라 통제된다. 작곡가들은 작품을 창작하며 이해하기 힘든 법칙과 감정에 따른다. 어떤 알 수 없는 원인에 의한 무의식적 충동일지 모를 기분에 따라 작곡하지는 않는다. 작곡가가 사용하는 모든 표현 기호는 **감각**sensation[7]을 표상한다. 그 기호들은 연주자와 청중이 특별한 느낌을 받게 될 어떤 음들에 대한 주의를 이끌기 위한 것이다. 그러나 그러한 표현 기호가 없을지라도 진정한 예술가는 마치 그것들이 거기 본래 있는 것처럼 연주할 것이다. 그렇게 연주되어야 하는 합리적인 **존재 이유**가 있기 때문이다.[8] 표현의 발생원인이 음악의

---

6) 표현의 발생을 단순한 감정이나 갑작스러운 기분 변화의 탓으로 돌린다는 것은 매우 놀라운 일이다. 느낌은 어떤 강박에 굴복하는 것일 뿐이며, 자유 행위자가 아니다. 타고난 감수성을 지닌 모든 신체 기관은 특정 요인에 의한 장애에 민감하다. 둔하고 무딘 본성은 강력한 현상에도 아무런 인상을 받지 않는다. 반면, 가장 민감한 본성은 어떤 특정한 것이 정서적 본능을 진동하고 자극할 때 동요하게 된다. 그러므로 **인상***impression*과 **표현***expression*은 혼란을 일으키는 것들의 힘, 그리고 그것을 수용하고 반영하는 느낌들의 섬세함과 민감성에 의해 결정된다. 만약 연주자가 음악적 감수성을 지니고 있다면, 불규칙한 음들이 그를 혼란스럽게 만들 것이다. 그는 그러한 불규칙성으로부터 충격을 받고, 그에 따른 감각을 표현할 것이다. 만약 그가 감성적이지 않다면 연주는 비록 정확하겠지만, 분명 차갑고 기계적일 것이다. 따라서 음악가의 연주가 빨라지거나 느려질 때, 힘과 불을 내뿜을 때, 온화하고 차분한 감정을 드러낼 때, 그들은 단지 기분 변화에 굴복하는 것이 아니라, 특정 음들과의 소통을 통한 저항할 수 없는 충동에 이끌리는 것이다. 그러므로 감정에 의해 작용하는 부분들은 단지 그들이 받은 인상의 표출에 지나지 않는다. 작곡가에게 주어지는 유일한 자유는, 일단 악구가 만들어지면 그에게 특별히 깊은 인상을 주는 음이나 패시지를 지시하거나 무시하는 것이다. 이 중 일부는 아마도 작곡가에게는 아무런 인상도 주지 않았을 수 있지만, 연주자의 감정을 강력하게 자극하여 (작곡가 자신에게는 완전히) 새로운 표현 효과를 만들어 낼 수 있다.

7) [역주] 본문의 진한 돋움체는 원저자의 이탤릭체 강조임. 이후 동일.

악구에 존재하기 때문에, 그것들은 명백히 순수한 음악 재료의 형식에 따라 작용해야 한다. 표현은 예민하게 관찰되고 분석적·종합적으로 기술될 수 있어야 한다. 따라서 음악적 표현에 관한 체계적인 연구도 화성 연구나 선율 연구처럼 충분히 가능하다.[9]

음악적 표현을 연구하기 위해서는 우선 연주자들을 가장 흥분시키고 감동하게 만드는 음과 패시지를 찾아야 한다. 그리고 그것들을 분류하고, 감정에 대한 행동 원인과 본질을 발견하며, 그러한 행동 법칙을 실질적으로 체계화해야 한다. 이것이 이 책이 의도한 바이며, 어느 정도 목적을 달성했다고 본다. 이 책에서 체계화한 규칙들이 경험적으로 놀라운 방식으로 확인·승인되고 있기에, 최소한 이 책의 성공은 희망적이다.

이 책의 규칙들을 익힌 사람은 누구나 악보에 주어진 표현 기호 없이도 성악곡이나 기악곡을 표현적으로 연주할 수 있다. 악구의 보편적 구조, 선율구조와 리듬구조, 음정 관계의 불규칙성, 반음계적 음, 긴 음, 반복음, 보조음 등에 주의하며, 모든 예술가가 자연스럽게 강조하고자 하는 포인트와 템포 조절 등을 정확하게 지시할 수 있을 것이다.

어떤 나라의 위대한 예술가도 연주 해석에서 이러한 규칙을 위반한 적이

---

8) 작곡가가 악센트를 표시할 때, 그것이 다만 큰 소리를 의미하는 것은 아니다. 작곡가가 악센트를 표시하는 이유는 음계, 소절, 악구 등의 맥락과 기능으로부터 그것을 떼어내려 하는 어떤 힘, 즉 그 특정 음의 힘을 작곡가가 느끼기 때문이다.

9) 어떤 이들은 음악의 표현 연구가 불가능하다고 여기며, 이러한 연구 시도를 비난하려 든다. 그들은, 표현이란 모호하고 일시적이며 정의할 수 없고, 어떤 긍정적이고 과학적인 공식으로도 환원할 수 없다고 주장한다. 의심할 바 없이 음악적 감정을 불러일으키고 자극하는 것들은 일시적이지만, 그럼에도 불구하고 그것들은 이해 가능하다. 느껴지는 것은 반드시 존재한다. 느낌의 실체는 그것들이 만들어 내는 인상과 감각으로 확인된다. 어떤 느낌이 감정을 자극하고 표현을 불러일으킨다면, 거기에는 관찰 가능한 음악적 재료의 실체가 있어야만 하지 않을까?

없다.[10] 아무런 표현 기호도 없는 악보에 이 책에서 제시한 규칙에 따라 악센트, 뉘앙스, 템포 변화 등을 표시하고, 이를 비아르도-가르시아[Viardot-Garcia][11]와 같은 유명 예술가의 해설판과 비교해 보아라. 만약 차이가 있다면 그것은 어떤 이론이 본능과 감정에 적용될 수 있는지를 보여줄 것이다. 또는 베토벤과 모차르트의 소나타 악보에 이 책의 규칙에 따라 표현 기호를 표시하고, 그것을 모셸레스, 마르몽텔, 르 쿠페의 해설판과 비교해 보아라. 결과는 같을 것이다. 모셸레스는 베토벤을 진정으로 알고 있으며, 그것이 그의 판본이 보편적인 명성을 지니는 이유이다. 모셸레스는 베토벤 자신의 악센트 붙임을 그 누구보다 더 잘 알고 있기에, 우리에게 진실한 베토벤 해석법을 보여준다. 그러므로 우리가 베토벤의 해석에 성공했다면, 다른 모든 작곡가에 대해서도 타당하게 성공할 것이다.

표현적 규칙이 감정의 자유로운 표현을 저해할 수 있다는 반론이 제기될 수 있지만, 실은 그렇지 않다. 이 규칙들은 예술가의 독창성을 전혀 방해하지 않으며, 예술가는 항상 이런저런 패시지에 자신의 연주 방식, 적합한 힘과 정교함을 선택적으로 적용할 수 있다. 더욱이 해석의 자유는 다른 모든 자유와 마찬가지로 일정한 한계를 지니며, 그 한계는 표현 법칙에 종속된다. 이 책에서 제시한 법칙들이 감정과 표현 간의 연관성과 원리에 대한 정확한 공식이라면, 누구도 방종에 굴복하지 않고서는 제멋대로 그 법칙을 무

---

10) 그러한 적성은 특별하거나 개별적인 것이 아니며, 단지 연습을 필요로 할 뿐이다. 이 책을 공부하는데 시간을 바친 음악가라면 누구든 똑같이 그렇게 연주할 수 있다. 12~15세 정도의 학생에게는 교사가 몇 차례 수업을 통해 칠판에 간단한 선율이나 솔페지 연습 예제를 제시하며 표현적 규칙을 가르칠 수 있다. 학생들은 악센트, 뉘앙스, 템포 등을 다루는 법을 배우게 될 것이다.

11) [역주] Pauline Viardot-Garcia(1821~1910). 스페인계 프랑스의 피아니스트이자 메조소프라노, 작곡가, 교육자. 리스트를 사사했으며, 쇼팽과 돈독한 사이였음.

시할 수 없을 것이다. 법칙을 지키려면 먼저 법칙이 무엇인지 알아야 한다. 무지는 방종으로 이어지고, 지식은 자유로 이끈다. 위대한 예술가들을 인도한 법칙들에 따르기보다 자유를 핑계로 거리의 악사처럼 연주하는 것이 과연 바람직할까?

본능적으로 그 법칙들을 아는 예술가는 이 책에서 제시한 규칙들이 그들의 감정과 모순되지 않는다고 느낄 것이다. 왜냐하면 그 규칙들은 그들의 직관을 일반화한 것이기 때문이다. 이 규칙들을 떠받치는 기본적 이론은 예술가들이 받은 인상에 대한 합리적인 분석에 근거하며, 예술가들은 이를 통해 자신의 특별한 재능을 더욱 명확하게 의식할 수 있을 것이다.

제2장

음악적 표현 이론

제2장 음악적 표현 이론

음악(또는 현대적인 선율)은 다음 3가지 주요 요소로 구성된다.

1. 음계scale 또는 장 · 단조의 조성tonality. 조성 음계란 서로 다른 소리의 기능적 7음이 차례로 나열된 조합이다. 조성 음계는 이 기능적 7음들 사이에서 서로 끌어당기는 영향력과 으뜸음tonic에 대한 종속성을 특징으로 한다.

오직 으뜸음만이 악구를 명확히 끝맺을 수 있다. 어떤 노래나 단순한 음계에서 최종음을 제거하면, 감각이 불완전해지며 음악적 의미가 깨진다. 곡의 마지막 음은 항상 으뜸음이다. 그러나 곡의 끝에 으뜸음이 아닌 다른 음이 올 수도 있음을 기억하자. 음계와 조성이라는 용어는 동의어다. 그러나 음계는 좀더 물리적이고 음향적인 의미에 가깝다. 음계 상의 출발점이 어디든 간에 모든 음계에서 고정성이 유지되기 때문이다. 반면 조성은 어떤 심리적인 것을 의미한다. 조성은 효과 면에서 느낌을 유발하고, 기능 면에서 다른 어떤 음보다 하나의 특정 음을 듣고자 하는 욕망을 일으키기 때문이다.

조성에서 음의 기능은 모두 7가지라고 했다. 그러나 이 기능은 바뀔 수 있다. 각각의 소리는 차례로 다른 것으로 대체될 수 있다. 같은 곡에서도, 곡을 시작할 때 으뜸음으로 기능했던 음이 나중에 더 높아지거나 낮아질 수 있다. 이러한 이동을 전조modulation라고 한다. 조성 음계의 기능적 숫자 관계는 고정되어 있으므로, 으뜸음이 변하면 자연히 다른 음들의 기능도 변한다. 마치 필요에 따라 더 높이거나 낮출 수 있는 사다리와 같다. 모든 소리는 임의로 으뜸음이 될 수 있다. 소리의 수는 무한하므로, 하나의 노래는 음계 사다리의 각기 다른 층에서 시작하는 무한한 음계와 조key를 가질 수 있다.

작곡가들이 다양한 조 또는 음계의 특성에 좀더 관심을 가지기 바란다. 이 점은 클래식 작곡가에게 매우 중요한 사항이지만, 프랑스에서는 소홀하게 취급된다. 작곡가는 자신이 표현하고 싶은 감정과 어울리는 조를 찾기 위해 최선의 노력을 기울인다. 의심의 여지 없이 하나의 곡은 그 정체성을 잃지 않으며 어떤 조로도 노래 될 수 있고, 따라서 모든 목소리의 음역으로 불릴 수 있다. 이것은 이조transposition의 기본이다.

그러나 사실, 음악적으로 섬세한 귀는 조의 음고를 정확히 인식하며 하나의 조를 다른 조와 구별할 수 있다. 각각의 조는 좋은 울림sonorousness, 감미로움, 거침, 날카로움과 같은 특별한 성질을 지닌다. 피아노에서 내림표 계통의 조는 올림표 계통의 조보다 더 부드럽다. 이유는 "평균율"에 있다. 이론적으로나 실질적으로나, 평균율은 단2도를 이루는 두 음 사이에 존재하는 2개의 이명동음을 하나의 반음으로 대체하는 절충안이다. 바이올린이라면, C♯이 D♭과 다르다는 것을 쉽게 증명할 수 있다. 사실 C♯은 D♭보다 조금 더 높으며, 이렇게 두 음 간의 매우 좁은 음정을 콤마comma[12]라고 한다. 그러나 모든 건반 악

12) [역주] 음악이론에서, comma란 한 음을 두 가지 방식으로 조율함으로써 발생하는

기에는 C와 D, D와 E 등의 사이에 2개의 건반 대신, C♯도 D♭도 아닌 중간음으로서 하나의 건반이 있다. 피아노에서 내림표 조는 한동안 정확하게 조율되었다. 그러나 내림표 조가 더 정확하게 조율될수록, 같은 조를 나타내는 올림표 조는 더욱 틀리게 된다. 평균율 체계의 결과, A♭조, D♭조, G♭조는 부드럽고 달콤하지만, E조와 B조는 딱딱하고 냉혹하게 되었다. 그래서 일반적으로 야상곡nocturne이나 몽상곡reverie에 내림표 계통의 조가 많은 것이다.

그러나 만약 우리가 일부 이론가들을 추종하여 각 조성을 특정한 감정으로 규정한다면, 그것이 터무니없는 것은 아닐지라도 너무 과장된 것일 수 있다. 사실, 내림표가 많은 음계일수록 소리가 더 부드럽고, 올림표가 많아질수록 소리는 더 거칠 수 있다. 그러나 내림표가 많은 D♭조·G♭조는 피아노에서, 올림표가 많은 C♯조·F♯조와 정확히 같은 건반으로 구성된다. 따라서 같은 건반, 내지 같은 현으로 된 조가 어떤 때는 부드럽게 소리 나고, 다른 때는 거칠게 소리 난다는 것은 말이 안 된다. 그럼에도 가장 화려하고 활기찬 조성 중의 하나인 E장조로 부드러운 성격의 곡을 작곡한다는 것은, 의심의 여지 없이 위험한 일일 수 있다.

Ravina, Douce Pensée

아주 좁은 음정을 말한다.

E조와 E♭조의 특징적인 차이를 느끼고 전조에 익숙해지는 데 다음과 같은 변칙적인 훈련이 도움 될 수 있다. 라비나Ravina의 〈달콤한 생각Douce Pensée〉을 원조인 E조로 연주하다가 갑자기 E♭조로 이조하여 연주해 보자. 이렇게 의식적으로 4개의 올림표로 된 조(E)를 내림표 3개로 된 조(E♭)로 이조해 연주하면, 어떤 면에서는 전보다 부드러워지지만, 다른 면에서는 에너지가 약해짐을 느낄 수 있다. 그러나 두 경우 모두 학생의 귀와 정서에 유익하다. 이러한 훈련을 다른 여러 곡에서도 반복하면 조성감이 크게 향상할 것이다.

조성감이란 곡을 듣고 다음의 4가지를 인식하는 능력이다. (1) 각 음이 음계에서 으뜸음(음계의 첫음)인지, 딸림음(음계의 5번째 음)인지, 이끈음(음계의 7번째 음)인지 등을 파악하고, (2) 끌어당김의 힘에 있어 으뜸음이 다른 음들보다 우위에 있음을 느끼며, (3) 음들 사이의 관계를 감지하고, (4) 귀로 듣고 그 곡이 무슨 조로 씌었는지 말할 수 있어야 한다. 이 마지막 능력이 가장 희귀하며, 본질적으로 가장 즉각적이고 예술적이다. 이 능력은 매우 엄격하고 체계적인 훈련으로도 얻기 어렵다.

이론은 간단하다. 조성의 수는 무한하지만, 현실적으로 고정된 현을 지닌 악기에 평균율 체계를 적용함으로써 조의 수가 12개로 줄어든 것이다. 그렇지만 조성감의 능력은 그대로이다. 어떤 피치로 조율된 피아노에서도 곡의 조를 말할 수 있을 뿐만 아니라, 다른 이질적인 음과 함께 칠 때도 모든 음이름을 말할 수 있는 사람들이 많다.

2. 마디[bar] 또는 소절[measure]. 소절은 짧은 거리에서 발생하는 강세를 지닌 음들의 주기적 반복이다. 이 악센트를 지닌 음들이 하나의 곡을 같은 음가와 지속시간을 지닌 작은 부분들, 즉 마디로 나눈다.

3. 리듬악구[rhythm]. 이는 2마디 혹은 2~3마디, 3~4마디의 주기적인 반복으로, 시의 행에 해당하는 부분을 포함하며, 대칭적 구조와 그룹을 형성한다.

이 3가지 요소들이 우리의 음악적 본능을 끌어당김, 규칙성, 대칭성의 3가지 특성을 갈망하도록 길들이며, 논리적으로 정확하게 제한된 음악적 질서에 익숙해지도록 만든다. 다시 말해, 음악이 귀에 듣고자 하는 욕망을 가르쳤다. 다음 3가지가 음악이 심어놓은 소리 질서에 대한 욕망이다.

1. 어떤 한 음(특히 최종음)을 다른 음보다 우선적으로 선호하여 듣는다.
2. 매 2·3·4마디마다 강세가 규칙적으로 반복되는 것처럼 느낀다.
3. 연속적인 그룹의 음 배열에서 본능적으로 어떤 대칭성을 예감한다.

귀는 연속하는 소리를 조성·박자·악구의 법칙에 따라 인지하자마자, 같은 조·선법·음들로 된 유사한 그룹의 연속을 기대한다. 그러나 귀는 대개 실망한다. 기대된 그룹에는 종종 이전 그룹의 조 또는 선법과 이질적인 음이 올 수 있고, 이에 따라 으뜸음을 대체하거나 선법을 변경해야 할 수도 있다. 또는 마디의 규칙성을 깨는 비대칭적인 음들이 나타나며 악구 구조의 대칭성을 파괴할 수도 있다.

엄밀히 말해, 이러한 예상 밖의 불규칙하고 예외적이며 비논리적인 음들이 느낌에 특히 강한 인상을 남긴다. 그러한 음들은 음악에서 자극·움직임·힘·열정·대조의 요소들이며, 바로 표현을 유발하는 음들이다. 이러한 예상치 못한 이질적인 음들이 친밀감·규칙성·대칭성을 기대하는 음악적 감정에 충격을 주며 방해한다. 기대를 좌절시키고 예상을 빗나가게 하며, 관습적인 진행의 실타래를 끊고 전진을 가로막는다.

여전히 처음 으뜸음의 끌어당김과 본래 박절적·악구적 규칙성에 사로잡힌 느낌이 이로부터 떨어지려 하지 않는다. 감정은 지나간 것을 애착한다. 그러나 낯선 새로운 음에 힘과 중요성이 강제될 경우, 결국 그 음을 수용하게 된다. 그 이질적 음이 틀린 음이 아니라, 전과 다른 새로운 조, 내지 또 다른 악구 구조를 형성하는 것이라고 인식한다. 느낌이 음악적 힘과 충동에 굴복하며 이전 것을 포기하고, 새로운 으뜸음과 악구 구조를 수용한다. 그것들의 끌어당김과 강압에 느낌이 예속된다.[13]

처음 으뜸음과 악구에 집착하려는 성향, 새로운 것에 대한 저항, 변화를 수용하게 하는 에너지와 힘, 이 모두가 결합하여 크레센도와 아첼레란도 같은 더 큰 자극으로 발전한다. 그리고 다시 자연스럽게 다이내믹과 빠르기가 점차 감소한다. 이것들이 연주자들에게 영향을 미치고 그들을 움직이게 하는 대행자들이다. 연주자가 으뜸음에 더 강력히 끌릴수록, 더욱 규칙적인 박절과 대칭적인 악구를 갈망한다. 반면, 연주자가 통일성·규칙성·대칭성을 깨뜨리는 음들의 힘과 빈도에 더 크게 자극받을수록, 그의

13) "제6장. 표현 악센트"를 보아라. 이상하게도, 귀가 어떤 음에 대해 더 큰 반감을 지닐수록, 그 음은 더욱 강력해진다. 귀가 이전 음들에 끌림을 포기하고 다른 음을 받아들이도록 만드는 것은 오직 힘뿐인 것 같다.

표현력은 훨씬 더 고양되고 강렬해진다.[14)]

그러므로 음악적 감정의 표현은 조성·선법·시간·리듬 현상에 대한 예리한 느낌일 뿐만 아니라, 무엇보다 그것들과 관련된 가장 사소한 불규칙성도 감지하는 극도의 민감성과 감수성이다.[15)] 음악적 표현은 조·선법·박자·악구를 파괴하는 불규칙한 음들에 의해 생성된 감정적 인상의 표명이자, 음악적 본능의 투쟁과 동요이다.

마지막으로, 음악적 미감은 인상의 강도에 비례하여 힘·열정·생명을 양적으로 표현하는 것이다. 실질적으로 "양식style"이라는 단어가 더 적합할 수 있다. 양식이란 곡의 전체 구조 또는 악구 구조에 따라 힘·강조·악센트·뉘앙스·템포의 요소를 적절하고 알맞게 사용하는 것이다.

불행하게도, 표현에서 감정은 보편적이지도 일정하지도 않다. 많은 음악가에게 전적으로 표현적 감정이 없고, 다른 음악가에게는 아주 조금 있고, 가장 유능한 음악가들조차 표현적 감정과 관련해 고통스러운 실패와 휴식기를 겪는다. 표현적 감정이 고갈될 경우, 연주자는 더 이상 으뜸음에 끌리지 않고, 박절적 규칙성과 악구의 대칭성도 느끼지 않으며, 불규칙한 음에 특별히 감동받지도 않는다. 연주자는 가장 파괴적인 조와 선법, 불규칙한 박절과 부조화스러운 악구도 수동적으로 수용하며, 힘과 활기가 없고

14) 회화와 조각에서도 표현성은 항상 선들의 규칙성과 구성적 대칭성을 깨뜨리는 어떤 특별한 것으로부터 발생한다. 모양새가 너무 규칙적이고 일정하면, 냉정하고 표현력이 부족한 사람처럼 보인다. 아름다움에 있어 셰익스피어의 결론도 마찬가지다.

15) 음악적 감정은 복잡한 능력 중 하나이다. 여기서는 표현 현상에 관해서만 이야기하지만, 공인된 예술가 중에는 템포 감각이 없는 사람도 있다. 다른 누군가는 뉘앙스·박자·악구에 무감각하고, 또 다른 누군가는 조와 선법에 무감각하다. 조금 이상하고 역설적으로 들릴지 모르지만, 이런 모든 능력의 조합을 표현 현상에 대한 느낌 또는 더 간단히, 표현감이라 부를 수 있다.

생명력과 시적인 감성이 결여된 무미건조한 연주를 한다. 다시 말해, 연주자 스스로 감동하지 않은 것을 표현할 수는 없다.[16]

그러나 앞으로는 더 이상 그렇지 않을 것이다. 이제 이 책이 우리를 감동하게 하고 흥분시키는 특별한 음과 그 감정의 원인 및 연주 방식에 대해 알려줄 것이다. 이를 통해 연주자는 힘 있고 표현적인 연주를 할 수 있게 될 것이다. 다시 한번 반복하지만, 명확히 정의된 공식과 쉽게 적용할 수 있는 법칙에 의한 음악적 표현의 과학이, 무능한 연주자에게도 진정한 예술가의 본능적 자질을 불어넣어 줄 것이다.

교수는 학생들이 악구 구조, 화성적 · 선율적 변화, 불규칙한 조 · 선법 · 박자 · 리듬에 주의하도록 지도해야 한다. 즉, 표현의 싹이 되는 예상치 못한 특별한 음에 특히 주의하도록 해야 한다. 이런 식으로 교수는 학생들의 주의력이 계속 깨어있을 수 있도록 이끌어 준다. 또한 관찰하고 비교하고 분석하는 값진 습관을 키워줌으로써 학생들의 감수성과 연주 기술을 발전시킨다.

아마도 시간이 지나면, 교수는 학생의 음악적 정서에 문제가 있었던 게 아니라, 교수 자신의 부족한 관찰과 추론, 교수법에 문제가 있었음을 깨닫게 될 것이다. 학생의 관점에서 보면, 그들은 표현을 발생시키는 음들과

---

16) 음악적 감정은 표현을 일으키는 음들을 찍어내는 사진판에 비교될 수 있다. 이 사진판은 예술가의 의지가 아닌 실제 조건의 민감도에 따라 인상을 담아내기 쉬우며, 결과적으로 힘과 충실성으로서 감정을 반영한다. 만약 사진판이 둔감하다면, 섬세한 특이성과 불규칙성은 아무런 흔적도 남기지 않을 것이다. 오직 가장 활기찬 것만 사진판에 남을 것이다. 반대로, 사진판이 밝고 민감하다면, 가장 희미한 불규칙성과 일시적인 현상도 분명하게 찍혀 활동력을 흥분시키며 강력하게 반영될 것이다. 따라서 무미건조한 연주자와 마찬가지로 예술가도 감정의 실제 조건에 따라 연주하는 것이며, 예술가의 연주와 그의 정서적 수용성은 비례한다.

위대한 예술가들의 표현 방식에 대한 지식을 얻음으로써 스스로 해방될 것이다. 학생은 더 이상 교수의 음악적 감정에 맹목적으로 의존하지 않고 이성적인 학습과 훈련을 통해 그 스스로 음악적 표현을 깨우칠 것이다. 마침내 자신이 연주할 곡에 예술적 생명력과 시적인 표현을 부여하는 방법을 스스로 발견하게 될 것이다.

제3장

음악적 표현 현상

제3장 음악적 표현 현상

음악을 주의 깊게 들을 때, 우리는 다음과 같은 사실에 충격받게 된다. 선율이 교대로 올라가거나 내려가는 것처럼 들리고, 어떤 음들은 크게 들리고 또 다른 음들은 부드럽게 들린다. 어떤 음들은 정지해 머무는 것처럼 들리고, 또 다른 음들은 번개처럼 빠르게 지나가듯 들린다. 우리는 가장 강한 음이 주기적·정기적으로 반복된다는 것을 알아차리게 된다. **템포**가 빠르다면, 본능적으로 머리나 발을 그 강한 음에 맞춰 움직일 것이다. 즉, 각 마디 시작에 오는 악센트 음의 규칙적인 반복이 우리에게 박beat의 박절에 대한 저항할 수 없는 충동을 준다. 이처럼 음에 악센트가 붙는 이유는 마디들을 서로 분리하기 위함이다. 아무리 음악적 본능이 없더라도 우리는 모두 **박절 악센트**metrical accent에 대한 느낌을 지닌다. 그 박절감이 시간감을 형성하며, 아이들의 발걸음과 군인들의 행진을 일정하게 맞춰준다. 박절감은 북치는 사람 주위로 흥분하는 군중을 끌어모으고, 노 젓는 선원들의 움직임을 일치시킨다.

음악을 더 집중해서 자세히 들으면, 일정한 형태나 형식을 지닌 다소 대칭적인 그룹이 연속되는 것을 관찰할 수 있다. 곧 우리는 이 그룹을 시작하는 악센트가 주기적·규칙적으로 반복된다는 것을 알게 된다. 그룹의 악센트는 마디의 악센트와 항상 일치하지 않으며(사실 때때로 그것들과 상반되기도 한다), 시에서 행 또는 반행의 시작과 일치하며 구두점 자리에 놓인다. 그룹 악센트의 목적은 음들의 그룹을 서로 끊고 분리하는 것이다. 그들 각각은 어느 정도 완전한 음악적 아이디어를 포함하며, 리듬 조합의 일부를 구성한다. 우리는 이제 이러한 **악구 악센트**rhythmical accent가 무엇을 의미하는지 이해하며, 이 악센트가 특히 지성에 호소한다는 것을 깨닫는다.

다시 한번 귀를 기울이면, 우리는 예술가가 그의 온 에너지를 집중하고 온 힘을 쏟아부으며 강조하고 안도하게 하는, 어떤 음이 있다는 것을 느끼게 된다. 이러한 과장된 음은 마디 단위의 악센트와 악구 단위의 악센트 둘 모두로부터 독립적이다. 통일성도 규칙성도 없다. 그 음은 박절 악센트와 악구 악센트를 파괴함으로써 부가적인 힘과 광채를 얻는다.

이러한 몇 개의 음이 중단 없이 이어질 때, 연주자는 이 음들을 표현하는 데 그의 모든 에너지와 열정을 소진한다. 연주자가 최상의 노력으로 영혼의 불꽃을 뿜어낼 때까지, 우리는 그 열정과 흥분에 숨죽이게 된다. 마침내 그 소리가 사라질 때 청중은 전율한다. 더 나은 단어가 없기에, 우리는 이것을 "비극적·표현적·비장한 악센트accent pathétique",17) 그리고 열정적인 움직임의 "감정적인 요소"라고 부를 것이다. 그 악센트는 어떤 불규칙한 음들을 안정시키려는 예술가의 노력으로 창조된다. 악구에 출현하는 낯선 조나 선법의 음들은 박절 악센트의 규칙을 깨고, 악구 대칭성

17) [역주] 본문의 큰 따옴표, " "는 모두 저자(루시)에 의한 것임. 이후 동일.

을 방해하며, 결과적으로 귀에 거슬리고 감정을 불안하게 한다.

마지막으로, 강한 악센트 음들의 연속적인 출현과 이후 이어지는 일련의 부드러운 음들 간의 대조를 관찰해 보라. 피아니시모에서 포르티시모에 이르는 단계적 변화, 그리고 열정의 최고점으로부터 가장 부드럽고 유연한 악센트에 이르기까지, 뉘앙스의 변화를 따라가 보라. 그러면 여러분은 훌륭한 연주의 주요한 요소들을 이해하게 될 것이다.

이러한 것들은 순수하고 표현적인 음악을 주의 깊게 들을 때 우리 앞에 펼쳐지는 것들이다. 다시 한번 나열해 보자. **박절 악센트**metrical accent는 우리의 머리와 발의 움직임을 자극하며 시간감을 주는 악센트로서, 특히 **음악적 본능**에 호소한다. **악구 악센트**rhythmical accent는 다양한 종지, 악구의 종결 및 악구의 단편을 표시하는 악센트로서, 특히 **음악적 지성**에 호소한다. 악구 악센트는 시 행의 시작 및 일시적 중지caesura와 일치하고, 언어의 구두점에 해당한다. 끝으로 박절 악센트, 악구 악센트와는 별개로 특별하고 예상치 못한 방식으로 발생하는 악센트가 있다. 그것들은 으뜸음을 바꿀 수 있고, 선법을 변화시키며, 박자와 악구의 규칙성을 깨뜨릴 수 있다. 이것이 **표현 악센트**expressive accent이며, 특히 **음악적 감정**에 주요하게 호소한다.[18] 정리하면 다음과 같다.

1. 본능에 호소하는 박절 악센트.
2. 지성에 호소하는 악구 악센트.
3. 정서에 호소하는 표현 악센트.

---

18) 루시의 *Exercises de Piano*, 2쪽을 참고하라.

음악에서 마디의 중요성에도 불구하고 박절 악센트는 악구 악센트에 의해 무너지며, 둘은 결국 모두 표현 악센트에 의해 무너진다. 표현 악센트가 항상 지도적 위치를 점하며 다른 두 악센트를 지배한다.

이론적으로 각 마디 첫음에 악센트가 붙는다는 것은 의심의 여지가 없다. 그러나 놀랍게도 이 규칙은 실제로 자주 무시된다. 종종 마디의 첫음이 악구나 리듬단편section[19]의 끝에 위치할 때, 그 음에 악센트를 주지 않는다.[20] 춤곡에서조차 마디 첫음이 리듬단편의 끝음이면, 악센트가 붙지 않는다. 왈츠를 공기 같이 가벼운 느낌으로 연주할 수 있는 비결은 박절 악센트의 빈번한 누락에 있다. 예를 들어, 구노의 왈츠 〈파우스트〉, 부르크뮐러의 〈유대인 방랑자Juif Errant〉, 메트라Métra의 왈츠 〈장미Les Roses〉 등을 떠올려 보라. 비록 시간적 감성이 부족한 사람은 이런 왈츠를 몹시 싫어하겠지만, 음악가들에게 이러한 왈츠는 매력적이다. 이 왈츠에는 군중을 움직이게 하는 박절 악센트의 힘과 규칙성이 부족하며, 따라서 그 시간적 구성이 더 이상 본능의 영역이 아닌 지성의 영역에 호소한다.

Gounod, Faust Waltz　　Métra, Les Roses

19) [역주] '리듬단편'으로 번역한 section은 시학에서 온 용어로, 이 책에서는 2개 이상의 음으로 된 작은 리듬그룹을 뜻한다. (이 책의 107쪽 참고 바람)

20) 슈만의 Op. 124, No. 17 "Die Elfen" 또는 베토벤의 피아노 소나타 17번 〈템페스트〉, Op. 31, No. 2의 3악장 Allegretto를 참고하라.

감정적인 요소는 시간적 불규칙성을 드러낸다. 그것은 예술가가 그의 열정적 노력으로 흥분을 자아내게 만드는 아첼레란도, 그리고 일정하게 하행하는 구조가 주는 충동, 또는 복잡한 구조에서 갑작스럽고 예상치 못한 장애물의 존재, 열정적 흥분 뒤에 따르는 힘의 소진과 탈진의 결과로 나타나는 랄렌탄도와 같은 시간적 변화를 포함한다. 크고 부드러운 악구, 그리고 크레센도와 디미누엔도의 연속에서 발생하는 대조가 뉘앙스를 구성한다. 그것들이 음악에 미치는 일반적 영향을 검토하기 전에 이러한 현상들을 개별적으로 분리할 필요가 있다.

그러나 보편적인 움직임에 부합하는 상대적인 **템포**movement général는 음악 연주에서 매우 중요하다. 모든 게 템포에 달려있다. 박절·악구·표현 악센트의 강도뿐만 아니라 음악적 특성과 전체 연주 효과도 템포에 따라 달라진다. 템포는 모든 훌륭한 연주의 영혼이며, 아르키메데스의 지렛대에 비유할 만큼 중요하다. 사실, 어떤 곡의 정확한 **템포**를 알아야, 악센트 붙임과 표현 등 다른 모든 세부 요소를 추가할 수 있다.

제4장

박절 악센트

1. 홑박자
2. 겹박자
3. 혼합박자와 폴리리듬
4. 박절 악센트 규칙
5. 박
6. 실습

제4장 박절 악센트

음이 무한정 연장될 수 있으므로, 음길이를 측정하기 위한 표준단위, 내지 비교 용어가 필요하다. 이 단위를 박beat이라고 한다. 박은 임의적이고 가변적인 단위이다. 일단 어떤 음길이가 박으로 선택되면, 다른 반대 지표가 나타날 때까지 박이 변함없이 유지된다.

박은 동일한 간격으로 같은 힘이 가해지는 일련의 소리 자극 중 하나이다. 우리는 규칙성에 대한 본능적 욕구로, 매 2·3·4개로 묶이는 박의 연속적인 그룹에서 첫 번째 박이 항상 더 크고 활기차다고 느낀다. 이 느낌이 박을 그룹으로 묶거나 부분으로 나누는데, 각각의 묶음을 마디 또는 소절이라고 한다. 마디는 대개 2박, 3박, 4박이 모여 구성되고, 항상 첫 박에 가장 강한 강세가 주어진다. 이 첫 박을 **강박**accented beat이라고 한다.

예를 들어, 드럼 스틱을 가지고 동일 시간 간격으로, 한 번은 크고 한 번은 작게 교대로 타격해 보자. 이것은 2박의 마디, 또는 "2박자"의 인상을 준다. 한 번은 크고 나머지 두 번은 작게 두드리거나, 나머지 세 번을 작게 두드린다면, 3박의 마디, 4박의 마디 즉, "3박자"와 "4박자" 그룹이 된다. 그러므로 2박자는 1개의 강박과 1개의 약박으로 구성되고, 3박자는 1개의 강박과 2개의 약박, 4박자 또는 "보통박자common time"는 1개의 강박과 3개의 약박으로 구성된다. 매 마디의 첫음마다 악센트가 부가됨으로써 성악과 기악에서 타악기를 세게 두드리는 것 같은 효과를 자아낸다. 또한 눈이 혼동 없이 수월하게 마디의 첫음을 즉시 알아볼 수 있도록 악보에 "마디선bar-line"이라고 불리는 수직선을 첫 박 앞에 그어준다.

가능한 한, 시간을 규칙적으로 유지하기 위해 우리는 손이나 발을 박에 맞추어 움직인다. 이를 박동 시간beating time이라 한다. 강박은 마디의 첫음과 일치한다. 각 박에 하나의 음(♩)이 오도록 2·3·4박자를 세면, 모든 박이 4분음표로 구성된 마디가 된다. 각 박에 2개의 등가음(♫)이 오면, 각 박이 1/2음 2개로 구성되는 마디가 주어진다(♫♫). 각 박에 3개의 등가음(♪♪♪)이 오면, 각 박이 1/3음 3개로 구성된 마디가 주어진다(♪♪♪ ♪♪♪ ♪♪♪). 2분박(♫)과 3분박(♪♪♪)에서 파생되는 2진수·3진수가 4·8·16·32·64분할, 6·12·24·48분할, 9·18·27·36·72분할 등의 비율로 규칙적으로 세분된다.

2분박과 3분박 중 2분박이 더 주요한 분박이다. 3분박은 보조적이다. 즉, 2분박(♫)은 6(♬♬♬♬♬♬)보다는 4(♬♬♬♬)로 더 많이 분할되고, 3분박(♪♪♪)은 9(♬♬♬♬♬♬♬♬♬)보다는 6(♬♬♬♬♬♬)으로 더 많이 분할된다. 그러므로 먼저 각 박을 2 또는 3분박으로 나누고, 다음 각각의 분박을 다시 2 또는 3으로 나누면 모든 규칙적인 분박 그룹을 갖게 된다. 2분박(♫)을 둘로 나누면 4분박(♫♫)이 되고, 셋으로 나누면 6분박(♬♬)이 된다. 4분박(♫♫)을 둘로 나누면 8분박(♬♬♬♬)이 되고, 셋으로 나누면 12분박(♬♬♬♬)이 된다.

같은 방식으로, 3분박을 둘로 나누면 6분박이 되고, 셋으로 나누면 9분박이 된다. 6분박을 둘로 나누면 12분박이 되고, 셋으로 나누면 18분박이 된다. 8분박을 둘로 나누면 16분박이 되고, 셋으로 나누면 24분박이 된다. 9분박을 둘로 나누면 18분박이 되고, 셋으로 나누면 27분박이 된다. 이것들은 (박을 하나의 단위로 여길 때 얻게 되는) **규칙적인** 그룹, 분할, 분박이다. 각 박이 2개의 음, 즉 2진수의 분박으로 구성된 마디를 "홑박자simple time"라고 하고, 각 박이 3개의 음, 즉 3진수의 분박으로 구성된 마디를 "겹박자compound time"라고 한다. 따라서 박의 주요 분할인 2분박이 홑박자를 지배하고, 박의 보조적인 분할인 3분박이 겹박자를 지배한다.

1. 홑박자

예를 들어, 1박을 표시하기 위해 4분음표 1개(♩)를 사용한다고 하자. 2박자에는 4분음표 2개(♩ ♩), 3박자에는 4분음표 3개(♩ ♩ ♩), 4박자(또는 보통박자)에는 4분음표 4개(♩ ♩ ♩ ♩)가 올 것이다. 2분음표(𝅗𝅥)는 동등한 4분음표 2개(♩‿♩)로 간주하고, 점2분음표(𝅗𝅥.)는 2분음표 1개와 4분음표 1개로 간주하며, 온음표는 2분음표 2개(𝅗𝅥‿𝅗𝅥)나 4분음표 4개(♩‿♩‿♩‿♩)로 간주한다. 이런 식으로 1 · 2 · 3 · 4박의 지속시간을 모두 나타낼 수 있다.

다음의 수평선들은 분박의 길이이다.

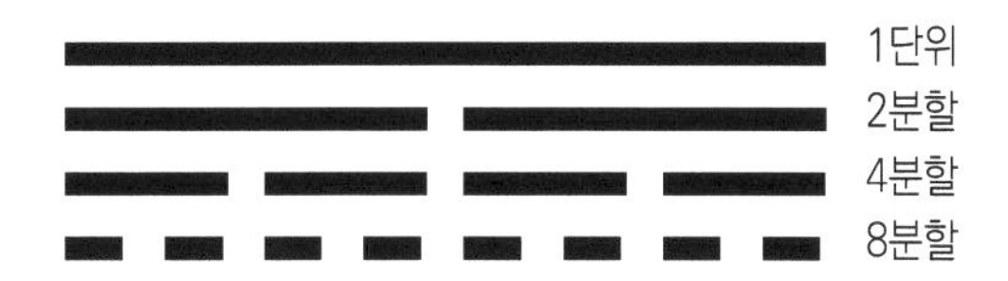

그러나 음악가들은 항상 박의 단위와 동일한 음표를 사용하는 대신, 온음표(𝅝)를 전체 음가의 측정 표준단위로 삼았다. 그래서 𝅗𝅥는 온음표의 1/2, ♩는 온음표의 1/4, ♪는 온음표의 1/8 등과 같이 사용한다. 게다가 온음표와 그것의 각 부분, 즉 2분음표, 4분음표, 8분음표, 16분음표가 차례로 박을 지시할 수 있다. 이런 식으로 하나의 음이 동등한 1박이 될 수 있는 5가지 다른 표시가 주어진다. 그 결과 다음과 같이 다양한 박자를 지시하는 여러 가지 박자표가 생성된다.

〈표-1〉 홑박자를 위한 박자표[21]

2박자		3박자		4박자	
2/1	𝅝 𝅝	3/1	𝅝 𝅝 𝅝	4/1	𝅝 𝅝 𝅝 𝅝
2/2	𝅗𝅥 𝅗𝅥	3/2	𝅗𝅥 𝅗𝅥 𝅗𝅥	4/2	𝅗𝅥 𝅗𝅥 𝅗𝅥 𝅗𝅥
2/4	♩ ♩	3/4	♩ ♩ ♩	4/4	♩ ♩ ♩ ♩
2/8	♪ ♪	3/8	♪ ♪ ♪	4/8	♪ ♪ ♪ ♪
2/16	𝅘𝅥𝅯 𝅘𝅥𝅯	3/16	𝅘𝅥𝅯 𝅘𝅥𝅯 𝅘𝅥𝅯	4/16	𝅘𝅥𝅯 𝅘𝅥𝅯 𝅘𝅥𝅯 𝅘𝅥𝅯

21) 홑박자는 종종 분수 형태가 아닌 다른 기호로 제시된다. 4/4박자는 **C** 또는 단순히 *4*로 표기되고, 2/2박자는 **₵**, 3/4박자는 *3* 등으로 표기될 수 있다. 로시니는 미사 *Christe Eleison*에서 4/2박자를 **₵** 로 표기했고, 나겔리Nägeli는 *Foi du Chrétien* 에서 같은 박자(4/2)를 **CC**로 표기했다.

분수 2/2는 1마디에 2분음표 2개를 포함하는 2박자이고, 3/8은 1마디에 8분음표 3개를 포함하는 3박자이다. 이런 식으로 온음표, 2분음표, 4분음표 등이 박을 지시할 수 있다.

이 모든 공식에서 각 박의 절대적 길이는 전적으로 움직임의 비율 또는 템포에 달려있다. 따라서 메트로놈 수치에서 3/2박자의 2분음표는 3/8박자의 8분음표와 정확히 같은 길이일 수 있다. 마찬가지로 2/1박자의 온음표와 2/4박자의 4분음표도 같은 길이일 수 있다.

홑박자의 특징은 그것이 분수 표기로 구별된다는 점이다. 홑박자 박자표에서 분모는 각 박의 음길이이고, 분자는 1마디에 할당되는 박의 개수이다. 또한 홑박자에서는 원칙적으로 2분할만 인정된다. 다시 말해, 음들은 2·4·8·16 등 2배수로 나뉜다.

홑박자에서 박의 3·5·6·7 등의 분할은 예외적으로 취급한다. 1박이 3·5·6·7로 나뉘는 그룹을 각각 셋잇단음표(3연음)·오잇단음표(5연음)·육잇단음표(6연음)·칠잇단음표(7연음)라고 한다. 종종 피아노곡에서 한 손은 2분박이 계속되는데, 이와 대조적으로 다른 한 손은 셋잇단음표가 계속되는 부분을 만나게 된다. 이런 경우, 첫 번째 마디에만 셋잇단음표를 표시하고 다음 마디부터는 *simile*라고 적는다. *simile*는 셋잇단음표의 지시가 없어도 계속해서 셋잇단음표로 연주하라는 뜻이다. 이는 한 손은 홑박자로 연주하고 다른 한 손은 겹박자로 연주하는, 즉 혼합박자mixed time[22]에 해당한다.

22) [역주] 일반적으로 '혼합박자'라기보다 '폴리리듬'이라고 칭한다. 혼합박자는 5/4, 7/4박자 같은 경우를 일컫는다. 54쪽에서 재언급.

2. 겹박자

겹박자는 본능적으로 생성된다. 겹박자는 이성이 아닌 감성에 의해 생겨난다. 이성으로는 겹박자를 설명하고 정당화하기 어렵다. 다음의 두 가지 요인이 겹박자를 생성시키는 특징이다.

첫째, 3박자와 3분박은 같은 효과를 지닌다. 3박자의 첫음에 오는 강세는 3분박의 첫음에 오는 강세와 같다(♩♩♩ 또는 ♪♪♪).[23]

둘째, 곤란하게도 3박자를 매우 빠르게 연주하면 격하고 불분명한 움직임이 발생한다. 연주자가 한 명이면 박자를 함께 맞출 필요가 없으므로 이런 불편함이 생기지 않는다. 그러나 연주자가 여러 명일 경우, 박을 맞추기 위해 지휘자가 절대적으로 필요하다. 템포가 매우 빠르면 지휘자가 3박자의 홑박자에서 충분한 강세를 주며 각 박을 구별하여 지휘하는 게 불가능하다. 빠른 3박자를 홑박자로 지휘하면 박자가 무너진다. 따라서 본능적으로 지휘자는 1마디 3박을 포기하고, 3박을 1박으로 압축하게 된다. 그러나 3분박의 1/3 지점에서 강화된 악센트 즉, 본래 3박자의 첫 강박은 어느 정도 인식할 수 있을 만큼 유지된다. 이러한 단순한 과정을 통해 2마디·3마디, 심지어 4마디도 1박으로 축소될 수 있다.

이렇게 하여 3분할 되는 2박자·3박자·4박자의 겹박자가 자연스럽게 만들어진다. 물론 곡의 실질적인 박자의 성격은 변하지 않는다. 다만 빠른 홑-3박자는 불안하고 자극적일 수 있지만, 거기서 파생되는 3분박의 겹박자는 안정적인 폭과 평온을 얻게 된다. 이유는 단순하다. 3박자 그룹의 첫음에 이전처럼 악센트가 붙지만, 그것은 더 이상 전체 마디의 강박이

23) 이 책의 158~159쪽을 참고하라.

아니라 3분박의 첫음이다. 3/8박자나 3/4박자로 쓰인 왈츠가 이제 6/8박자나 6/4박자가 된다. 오케스트라 지휘자는 확실히 박을 2박자로 셀 것이다. 즉, 지휘자는 홑-3박자 2마디에 걸친 6박 대신, 겹-2박자 1마디 안의 2박으로 지휘할 것이다.

예를 들어, 베버의 〈무도회의 권유Invitation à la Valse〉는 본래 3/4박자로 작곡되었지만, 베를리오즈가 편곡한 관현악보에서 빠른 겹-6/4박자, 즉 3분박의 2박자로 바뀌었다. 지휘자는 여덟 마디 동안 24박을 지휘하는 대신, 단지 8박을 지휘한다. 이처럼 겹박자는 홑박자로부터 형성된다. 그러나 단, 3박자의 홑박자가 템포가 빨라질 경우에만 겹박자가 생성된다. 홑박자를 겹박자로 바꾸려면, 홑박자 두 마디 사이의 세로줄을 없애고 그것을 2박자의 겹박자로 만들면 된다. 다음 예시와 같다.[24]

〈예-1〉 위: 홑-3/4박자(베버 원곡) → 아래: 겹-6/4박자(베를리오즈 편곡) [25]

24) [역주] 예시 악보에 붙인 설명 제목은 역자에 의한 것임. 이후 동일.

25) [역주] 예시 악보에 제시된 악센트의 종류로서, 보다 강한 악센트인 marcato 또는 martellato(^)와 일반적 악센트 기호 >는 루시의 구분을 그대로 따름. 이후 동일.

Weber, Invitation à la Valse

3마디 단위로 세로줄을 없애면, 3박자의 겹박자(9/8 또는 9/4)가 되고, 4마디 단위로 세로줄을 없애면 4박자의 겹박자(12/8 또는 12/4)가 된다.

그러나 모든 3박자의 홑박자 곡이 3박자의 겹박자로 변형될 수 있다고 생각해서는 안 된다. 예를 들어, 위의 〈무도회의 권유〉는 겹-2박자나 겹-4박자로 축약될 수 있지만, 겹-3박자는 될 수 없다. 왜냐하면 악구의 첫음이 항상 같은 박에 떨어져야 하는데, 이러한 일치가 이 곡에서는 일어나지 않기 때문이다. 홑-3/4박자 각 마디의 첫음이 겹-3박자의 제1박, 제2박, 제3박에 떨어지고 나면, (홑박자의 나머지 제4마디가 겹박자에서 다음 마디가 되므로) 전체 악구가 끊어지기 때문이다. 그러므로 홑박자를 겹박자 2박자·3박자·4박자 중 어느 박자로 바꿀 수 있을지는 전적으로 악구 구조에 달렸다. 물론, 홑박자를 겹박자로 응축하는 것과 같은 방식으로, 겹박자에 여분의 마디선을 추가하여 홑박자로 바꿀 수도 있다.

3/2, 3/4, 3/8, 3/16과 같은 홑박자 3박자에서 2마디를 1마디로 통합하면, 6/2, 6/4, 6/8, 6/16과 같은 (2박자 계통) 겹박자를 얻게 된다. 홑박자 3마디를 1마디로 통합하면, 9/2, 9/4, 9/8, 9/16과 같은 (3박자 계통) 겹박자를 얻는다. 홑박자 4마디를 1마디로 통합하면, 12/2, 12/4, 12/8, 12/16과 같은 (4박자 계통) 겹박자를 얻는다. 즉, 겹박자의 분자 6, 9, 12는 각각 (3분박으로 된) 겹박자 2박자, 3박자, 4박자를 가리킨다.

〈표-2〉 겹박자를 위한 박자표

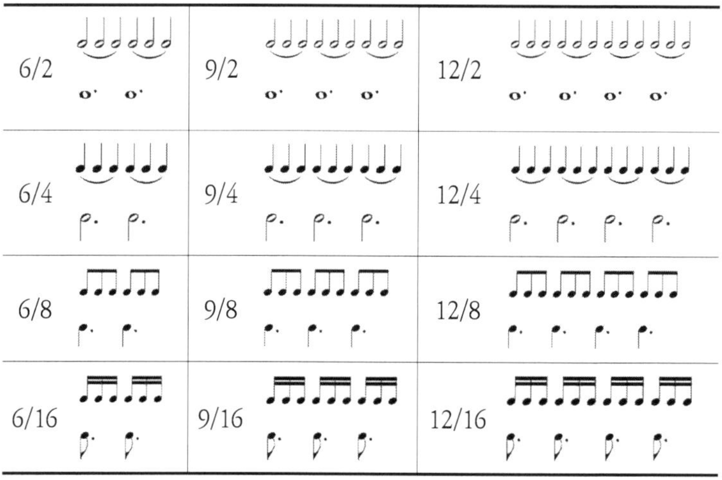

6/2	9/2	12/2
6/4	9/4	12/4
6/8	9/8	12/8
6/16	9/16	12/16

겹박자도 홑박자와 마찬가지로 분자는 1마디에 포함되는 음의 개수를 나타낸다. 그러나 이 경우 각 음은 박[26]의 1/3을 차지한다. 분모는 음의 성질 즉, 그것이 2분음표인지, 4분음표, 8분음표인지 등을 지시한다. 홑박자와 마찬가지로 겹박자에서도 각 박의 절대적 길이는 메트로놈 수치 또는 템포를 지시하는 이탈리아어에 전적으로 의존한다. 따라서 같은 속도가 제시된다면, 6/4박자의 점2분음표와 6/8박자의 점4분음표는 정확히 같은 길이이다. 겹박자의 특징은 (1) 박이 3분할된다는 점, (2) 박의 단위를 대표하는 음이 점2분음표, 점4분음표 등과 같은 점음표라는 점이다. 겹박자에서 박이 2·4·5·8음으로 분할될 때는 예외적으로, 이잇단음표(2연음)·사잇단음표(4연음)·오잇단음표(5연음)·팔잇단음표(8연음) 등이 된다.

26) [역주] 여기서 '박'은 탁투스tactus, 즉 기본박 또는 단위박을 의미한다.

〈예-2〉 겹박자의 2분할 표기 (리터Théodore Ritter, 편지Les Courriers)

〈예-3〉 겹박자의 4분할 표기 (쇼팽, 녹턴, Op. 9, No. 3)

Th. Ritter, Les Courriers　　Chopin, Nocturne, Op. 9, No. 3

〈예-3〉에서 쇼팽은 이전 부분에서 오잇단음표와 칠잇단음표를 사용한 바와 같이, 여기에서 사잇단음표를 사용한다.

이론적으로 겹박자는 박의 단위로서 점2분음표, 점4분음표 등이 2중으로 표기되어야 한다. 사실, 겹박자에서 박은, 홑-3박자의 1마디가 압축된 것이며, 반드시 그 발생적 흔적을 보여주어야 한다. 모든 홑-3박자에서 한 마디 전체에 해당하는 음은 단 하나의 기호로 적을 수 없다. 3/4박자 1마디를 위해 점이 붙은 2분음표가 필요하고, 3/2박자 1마디를 위해 점온음표가 필요하다. 즉, 겹박자의 1박이 홑-3박자의 1마디에 해당하므로,

점2분음표, 점온음표 등과 같은 2중 기호를 유지해야 한다. 그러나 겹박자는 점음표 하나만으로 마디 전체를 대표할 수 없다. 점2분음표는 비록 8분음표 6개(6/8박자)이지만, 점2분음표가 6/8박자 마디 전체를 대표하지 않는다. 그 이유는 겹박자가 올바르게 쓰이기 위해서는 마디 전체에 해당하는 음표 또는 기호가 2개의 반쪽, 즉 2박으로 분명하게 구분되어야 하기 때문이다. 점2분음표의 액면가는 8분음표 6개의 음가이지만, 6/8박자는 첫눈에 보기에 점4분음표 2개 또는 8분음표 3개의 두 그룹으로 분명하게 구분되어야 한다. 즉, 겹박자에서 박을 지시하는 음표는 다음과 같이 박의 개수만큼 여러 번 써야 한다.

일반적으로, 겹박자는 올바르게 기보되며 박들이 서로 뚜렷하게 구분된다. 그러나 간혹 다음과 같은 부주의한 실수를 만나게 된다.

〈예-4〉 위: 잘못된 기보, 아래: 바른 기보 (클레멘티, 그라두스, No. 75)

〈예-5〉 위: 잘못된 기보, 아래: 바른 기보 (봉헌송[Offertoire]. 작곡가 미상)

앞의 〈표-1〉과 〈표-2〉의 박자표를 다시 살펴보면, 홑박자에는 15개의 서로 다른 박자가 있고, 겹박자에는 12개의 서로 다른 박자가 있다. 즉, 이 27가지 방법으로 하나의 강박과 이에 뒤따르는 1 또는 2나 3의 약박을 간단하게 나타낼 수 있다. 종종 통탄스럽게도, 하나의 박을 이루는 여러 음을 함께 묶어주지 않을 때, 연주자를 당혹스럽게 만드는 어려움이 즉각 발생한다. 물론, 이 27가지 박자가 모두 동일한 비중으로 사용되는 것은 아니다.[27] 사실 몇몇 특이한 박자는 거의 사용되지 않는다. 그러나 시간의 미로를 통과하도록 안내할 안전하고 합리적인 원칙이 준비되지 않을 경우, 여러분은 부지불식간에 몇몇 박자에서 잘못된 곳에 악센트를 주는 오류를 범할 수 있다.

27) 베토벤의 전체 피아노 소나타에서 9박자는 겨우 2~3번 사용되었고, 모차르트는 그의 피아노 소나타에서 9박자를 단 한 번도 사용하지 않았다.

3. 혼합박자와 폴리리듬

27가지 박자 중 일부는 자주 사용되지 않는다. 한편 어떤 박자들은 이 27가지 종류의 박자에 포함되지 않는 것들도 있다. 예를 들어, 우리는 종종 3+2박자 또는 2+3박자로 구성된 5박자를 만나게 되는데, 이를 혼합박자alternate time28)라고 한다. 또한 오른손과 왼손이 서로 다른 박자로 구성된 것을 폴리리듬mixed time29)이라고 한다.30)

때때로 온음표의 가장 작은 부분조차 분모로 사용된다. 크레머Cramer의 연습곡 31번에서 오른손은 24/16박자이고, 왼손은 4/4박자이다. 이는 겉보기에는 폴리리듬이지만, 실제로는 오른손의 1박이 6개의 16분음표로 구성된 4박자이다(비록 악보에는 육잇단음표 대신 셋잇단음표로 묶여있지만). 다행히도, 마디가 바르게 쓰여있고, 16분음표 3개씩 묶인 8개의 그룹이 잘 정돈되어 있어서, 악센트를 붙이는 데 어려움이 없다.

Beethoven, Pf Sonata, Op. 111

Chopin, Pf Sonata, Op. 4

---

28) [역주] 이 책에서는 alternate time, 즉 교대박자라고 했지만, 일반적으로 '혼합박자'라고 더 많이 부르기에 '혼합박자'로 번역했다. 혼합박자는 complex meter, composite meter, mixed meter 등으로 지칭된다.

29) [역주] mixed time은 주로 혼합박자를 뜻하고, 서로 다른 박자나 리듬이 동시에 진행할 경우, polymeter 또는 polyrhythm이라 한다. 이에 '폴리리듬'으로 번역했다.

30) 오페라 《돈 조반니》의 제1막, "Veni con me, ma vita,"에서 돈 조반니는 2/4박자로 노래하고, 레포렐로는 3/8박자로 노래한다.

크레머의 두 번째 저서, 연습곡 7번에서 그는 같은 박자를 박자표 **C** 로 제시했다. 베토벤의 피아노 소나타 32번(Op. 111)에는 12/32박자가 있다. 힐러Hiller의 트리오(Op. 64)에서 2/4와 3/4의 혼합박자가 있고, 그의 《리듬 연구Rhythmische Studien》(Op. 52)에는 다른 예시를 더 찾을 수 있다. 또한 쇼팽의 C단조 소나타(Op. 4) 3악장 Largetto는 5/4박자이다. 최근 발표된 곡인 2개의 〈오르간을 위한 기도Prières pour Orgue〉에서 한 곡은 5/4박자이고, 다른 한 곡은 41/4박자이다. 그러나 후자는 분명 평범한 노래일 뿐이다. 이러한 예외적인 경우를 더 이상 제시할 필요는 없을 것 같다.

4. 박절 악센트 규칙

박절 악센트의 목적은 '마디 · 박 · 분박'의 느낌을 강화하는 것이다. 따라서 어떤 음이 박의 이 세 층위 중 어디에 해당하는지 아는 것이 절대적으로 중요하다. 작곡가가 자기 곡이 잘 연주되기를 바란다면 어떤 음에 악센트가 붙는지 연주자가 분명히 알 수 있도록 해야 한다. 그러나 불행히도 작곡가들은 이 점에 대해 매우 부주의하다. 특히 쇼팽이 그렇다.

박의 분할을 나타내기 위해 점선으로 된 수평선[31)]을 음표 아래 표시하면 이해하기 쉽다. 성악에서는 일반적으로 박에 따라 음을 그룹으로 묶는 대신 하나의 음절에 해당하는 각 음을 분리하여 기보한다. 반면, 서로 다른 박에 속하지만 같은 음절일 경우, 그 박대로 표시하지 않고 그것들을 함께 묶는다. 당연하게도 이런 기보 방식은 연주자를 당혹스럽게 하며, 정

31) 이 책의 45쪽 그림과 루시의 *Exercises de Piano*, 107쪽을 참고하라.

확한 독보와 적합한 해석을 방해한다.

그러나 위에서 언급한 박자 이론이 모든 필요한 설명을 제공하며 악센트를 지적이고 올바르게 붙일 수 있도록 도울 것이다.

다음은 어떠한 상황에서도 연주자를 조력해 줄 박절 악센트 규칙이다.

1. 각 마디의 첫음에 악센트를 주어야 한다.
2. 1음 1박인 2박자에서, 제2박에는 악센트가 없다.
3. 1음 1박인 3박자에서, 제2박과 제3박에는 악센트가 없다.

〈예-6〉 3/4박자의 일반적 박절 악센트

〈예-7〉 3/4박자의 일반적 박절 악센트 (모차르트)

※ 주의: J.J.루소, 카스티야-블레이즈Castil-Blaze(프랑스 음악학자 · 평론가: 역주), 그 밖의 많은 이들의 견해에도 불구하고, 3박자의 제3박에는 박절 악센트가 없으며, 단지 악구나 표현적 특성에 의해서만 악센트가 주어진다.

〈예-8〉 *f* 로 인해 변화된 박절 악센트

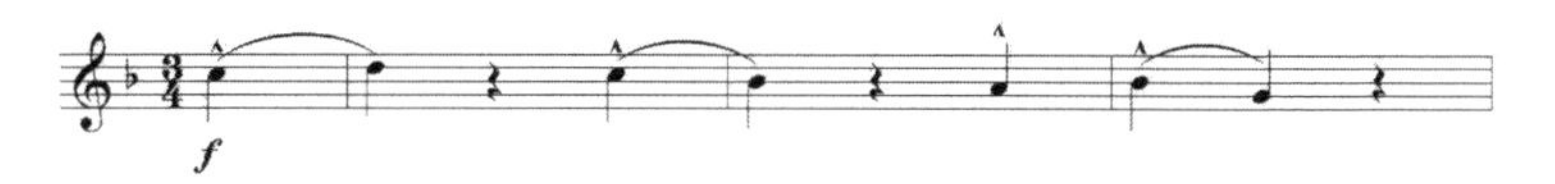

〈예-9〉 악구의 시작으로 변화된 박절 악센트

〈예-10〉 리듬단편의 시작으로 변화된 박절 악센트

위의 세 예시에서 *f* 가 표기된 음에 악센트가 붙는데, 이는 그 음들이 제3박이어서가 아니라 악구 또는 리듬단편의 첫음이기 때문이다.

〈예-11〉 특정 리듬형으로 인해 변화된 박절 악센트 (쇼팽)

〈예-12〉 특정 리듬형으로 인해 변화된 박절 악센트 (베버)

위의 두 예시에서 ∧ 기호가 붙은 음과 *f* 가 제시된 음에 악센트가 오는데, 이는 그 음들이 제3박이어서가 아니라 앞에 2분박(♩♪)이 있기 때문이다.

즉, 4분음표 1개, 8분음표 2개, 4분음표 1개로 구성된 리듬형(♩ ♫♩)인 경우, 마지막 4분음표에 악센트가 온다. ♩. ♪♩ 또는 ♩‿♫♩와 같은 리듬형에서도 마찬가지로 마지막 4분음표에 악센트가 온다. 2박자와 4박자에서도 8분음표로 된 2분박 뒤에 4분음표가 올 경우, 뒤의 4분음표에 다소 악센트가 붙는다.[32]

〈예-13〉 표현적 요소로 인해 변화된 박절 악센트

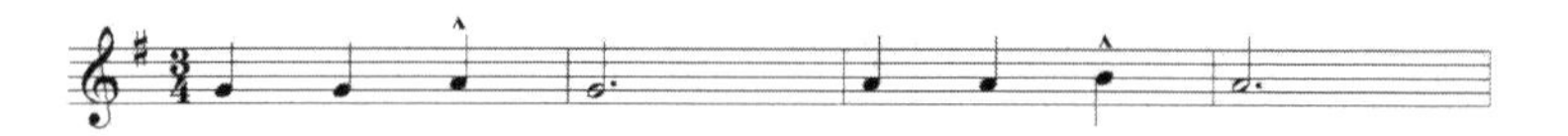

〈예-14〉 표현적 요소로 인해 변화된 박절 악센트

〈예-15〉 표현적 요소로 인해 변화된 박절 악센트

위의 세 예시에서 ∧ 기호가 붙은 음에 악센트가 오는데, 이는 이 음들이 제3박이어서가 아니라, 그 음들이 표현을 요구하는 음들이기 때문이다.

32) 이 책의 158~159쪽과 187쪽을 참고하라.

4. 1음 1박인 4/4박자에서, 제1박이 강박이고 나머지 박은 약박이다.

〈예-16〉 4/4박자의 일반적 박절 악센트 (하이든)

〈예-17〉 4/4박자의 일반적 박절 악센트

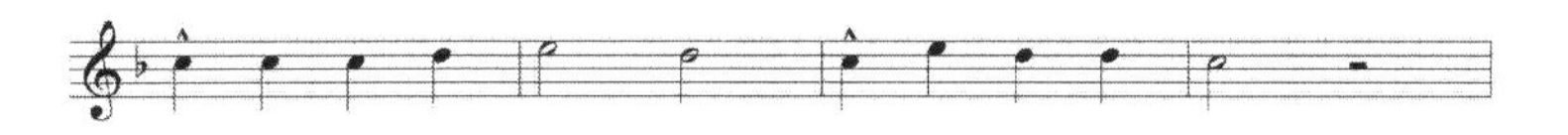

5. 겹박자에서, 홑-3박자 1마디가 축약된 각 박에 악센트가 온다.

〈예-18〉 겹박자의 박절 악센트

6. 모든 박자에서, 비록 그 음이 강박이 아니더라도, 어떤 박이 여러 개의 음으로 나뉠 때 그 음그룹의 첫음에 악센트가 온다.

〈예-19〉 여러 음의 분박 그룹 첫음에 붙는 박절 악센트

〈예-20〉 여러 음의 분박 그룹 첫음에 붙는 박절 악센트

〈예-21〉 여러 음의 분박 그룹 첫음에 붙는 박절 악센트

〈예-22〉 여러 음의 분박 그룹 첫음에 붙는 박절 악센트

7. 음길이가 어떻든 간에 그 음이 다음 마디 혹은 다음 박의 첫음과 붙임줄로 연장되면, 그 음에 강한 악센트가 온다.

〈예-23〉 연장에 의해 변화된 박절 악센트

〈예-24〉 연장에 의해 변화된 박절 악센트

〈예-25〉 연장에 의해 변화된 박절 악센트

8. 마디 · 박 · 분박의 시작에 붙임줄로 연장된 음이나 쉼표가 올 경우, 그 음의 위 · 아래 성부에 출현하는 모든 음에 강한 악센트가 붙는다.

〈예-26〉 베토벤, 피아노 소나타 12번 〈장송행진곡〉, 3악장, Op. 26

〈예-27〉 베토벤, 〈장송행진곡〉, 2악장 스케르초, Op. 26

〈예-28〉 베토벤, 피아노 소나타 14번 〈월광〉, 2악장 트리오, Op. 27, No. 2

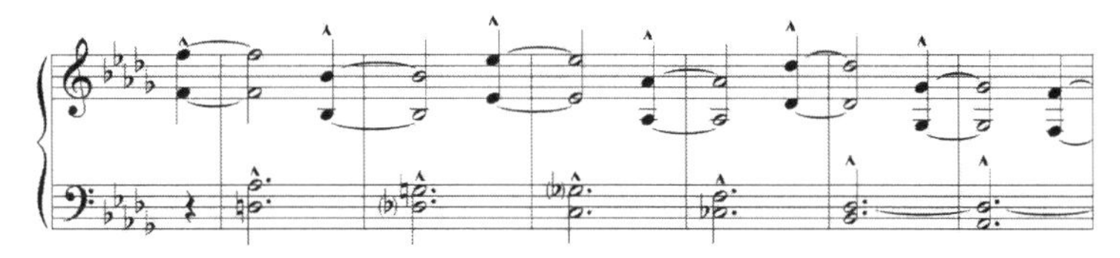

9. 더 드물고 특별하게, 하나의 그룹이나 박이 여러 음으로 구성될 경우, 그 그룹의 첫음에 더욱 강한 악센트가 온다.

〈예-29〉 음그룹 첫음에 붙는 박절 악센트 (고트샬크Gottschalk, 바나나Bananier)

10. 이전 마디 · 박 · 분박의 끝음이 다음 마디 · 박 · 분박의 첫음으로 반복될 경우, 그 반복되는 음에 강한 악센트가 오며, 이를 반복음reiterated note이라고 한다.

〈예-30〉 반복음에 의한 박절 악센트 (베버, 무도회의 권유)

〈예-31〉 반복음에 의한 박절 악센트

〈예-32〉 반복음에 의한 박절 악센트 (스트라델라Stradella)

11. 음이 더 길수록, 특히 그 음이 마디 첫음일 때, 악센트가 붙는다. 바로 이러한 음에서 성악가와 바이올린 주자가 비브라토 효과를 만들어 낸다.

〈예-33〉 긴 음에 붙는 박절 악센트 (로시니, 슬픔의 성모Stabat Mater)

〈예-34〉 긴 음에 붙는 박절 악센트 (오베르Auber, 오페라코미크 하이디Haydée)

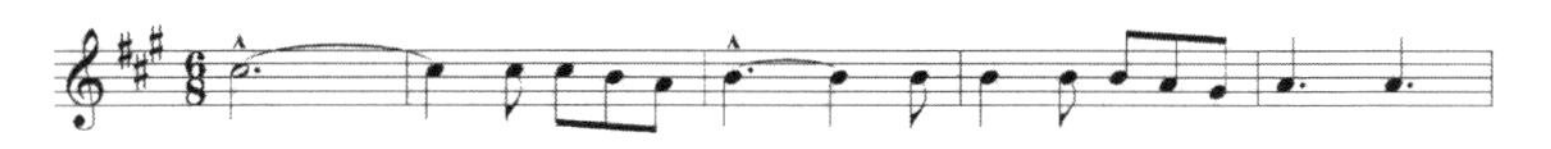

12. 쉼표 다음의 음에 악센트가 온다.

〈예-35〉 쉼표 다음 음에 붙는 박절 악센트

〈예-36〉 쉼표 다음 음에 붙는 박절 악센트

〈예-37〉 쉼표 다음 음에 붙는 박절 악센트

〈예-38〉 쉼표 다음 음에 붙는 박절 악센트

13. 템포가 빨라질수록, 마디와 박의 첫음에 붙는 악센트가 약해진다.

끝으로, 6개나 12개 음의 그룹은 악센트를 붙이는 데 어려움이 따르기에, 특별히 주의해야 한다.

8분음표 6개 그룹의 악센트

○ 3/4박자 1마디가 6개의 8분음표로 구성되면, 2음마다 악센트가 오며 ♫♫♫ 와 같이 기보한다.

○ 겹박자인 6/8, 9/8, 12/8박자 1마디가 6개의 8분음표로 구성되면, 3음마다 악센트가 오며  와 같이 기보한다.

○ 홑박자인 2/4, 3/4, 4/4박자에서 6개의 8분음표가 2개의 셋잇단음표를 형성하면, 3음마다 악센트가 오며 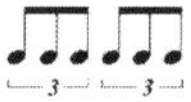 와 같이 기보한다.

○ 겹박자인 6/4, 9/4, 12/4박자에서 6개의 8분음표는 2음마다 악센트가 오며, 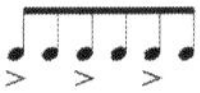 와 같이 기보한다.

16분음표 6개 그룹의 악센트

○ 2/4, 3/4, 4/4박자에서 16분음표 6개는 두 개의 셋잇단음표 또는 한 개의 육잇단음표를 형성하며, 3음마다 악센트가 온다. 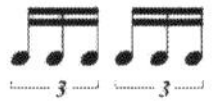 또는 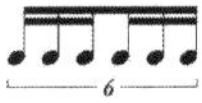 와 같이 기보한다.

○ 6/8, 9/8, 12/8박자 한 마디에서 6개의 16분음표는 2음마다 악센트

가 오며,  와 같이 기보한다. 만약 16분음표 6개 그룹이 8분음표 2개의 음가라면 육잇단음표를 형성하고, 3음마다 악센트가 오며,  또는 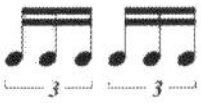 와 같이 기보한다.

○ 3/8박자에서 6개의 16분음표는 2음마다 악센트가 오며,  와 같이 기보한다.

○ 6/4, 9/4, 12/4박자에서 6개의 16분음표가 4분음표 1개의 음가일 경우, 3음마다 악센트가 오고,  와 같이 기보한다.

○ 6/16, 9/16, 12/16박자에서 6개의 16분음표는 3음마다 악센트가 오며,  와 같이 기보한다.

16분음표 12개 그룹의 악센트

○ 2/4박자와 4/4박자에서 12개의 16분음표는 6음마다 악센트가 와야 하고, 템포가 느릴 경우 3음마다 악센트가 온다. 그것들은 두 개의 셋잇단음표 또는 하나의 육잇단음표를 형성하며, 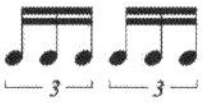 또는  와 같이 기보한다.

○ 3/4박자 한 마디 전체가 12개의 16분음표로 구성되면, 4음마다 악센트가 오고, 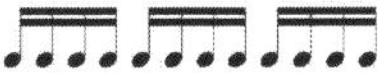 와 같이 기보한다.

○ 6/8, 12/8박자에서 12개의 16분음표는 템포가 빠를 경우 6음마다 악센트가 오고, 느릴 경우 2음마다 악센트가 온다.

와 같이 기보한다.

○ 12/16박자에서 16분음표 12개로 구성된 그룹은 3음마다 악센트가 오고, ♬♬♬♬ 와 같이 기보한다.

32분음표와 64분음표의 그룹도 악센트 붙임에서 위와 유사한 분석에 따르는데, 특히 6음 그룹과 12음 그룹의 경우, 박자가 홑박자인지 겹박자인지 구분하는 것이 필수적이다. 즉, 기본적이고 규칙적인 분할인 2분박으로 된 세 그룹인지(♫♫♫), 보조적이고 특별한 분할인 3분박으로 된 두 그룹(♫♫)인지 구분해야 한다. 예외적으로, 4음이 올 자리에 6음이 오면 3음마다 악센트가 붙고, 8음이 올 자리에 12음이 오면 6음마다 악센트가 붙는다. 3음이나 6음 대신 6음이나 12음이 오면, 2음마다 악센트가 붙는다. 즉, 홑박자에 해당하는 6음 그룹은 3음마다 악센트가 붙고, 겹박자에 해당하는 6음 그룹은 2음마다 악센트가 붙는다.

이러한 악센트 규칙은 앞서 언급한 박절 악센트 원리에 따른 것이며, 어떠한 상황에서도 연주자를 올바르게 안내할 수 있어야 한다.

5. 박

여러분은 박자 체계에서 박이 담당하는 중요한 역할에 아마도 충격받았을지 모른다. 음악에서 박은 생리학에서 세포의 역할과 같다. 박은 마디와 악구, 악절을 생성하는 요소이다. 위대한 거장들이 인류에게 영광을 주는 소리와 화성의 아름다운 조직체계를 위한 기본 틀을 구성하게 한 것이 바로 마디의 생성과 그에 따른 결과로써 악구와 악절의 생성이다.

처음으로 음악에서 박의 성질과 기능을 발견했던 J. J. 루소의 업적을 높이 평가해야 한다. 그는 최초로 박을 음가의 단위로 간주했고, 2분할과 3분할을 이루는 2박자 형식을 예견했다. 루소가 정의한 박자 형식에 의하면, 박자와 악구의 모든 형태는 박의 조합과 분할을 통해 생겨난다. 여기서 루소가 논한 박의 성질을 자세히 분석하는 것은 적절하지 않을 것이다. 여러분이 일반적인 박자 원리와 친숙해질 수 있도록 순전히 실용적인 관점에서 고려하면 충분할 것이다. 각각의 박자 형식이나 형태는 그것의 일반적 명칭에 의해 지명된다.33)

〈표-3〉 2분할 리듬형

1		레가토
2	또는	스타카토
3	또는	연장
4		쿨레 coulée34)

위의 표에서 2~4번 연주형은 박을 4분할하여 얻은 결과이다.

33) 루시의 *Histoire de la Natation Musicale* 의 챕터 "Unité des procédés d'exécution"을 참고하라.

34) [역주] coulée는 '흐름'이나 '흐르는 것'을 뜻한다. 특히 피아노 연주에서 손가락을 부드럽게 하여 미끄러지는 듯한 움직임을 의미한다.

〈표-4〉 3분할 리듬형

1		레가토
2	또는	스타카토
3	또는	연장 (제1분박)
4	또는	연장 (제2분박)
5		쿨레 (6분할의 제3박 쉼표)
6		쿨레 (6분할의 제5박 쉼표)

위의 표에서 2~6번 리듬형은 박을 6분할하여 얻은 것이다.

여러분은 학습 초기부터 다양한 방식으로 연습해야 한다. 우선 모든 연습법에 앞서 다음의 5개 음의 연습을 먼저 시행하라.35)

〈예-39〉 2분할 리듬형의 다양한 연습법

35) 이 4가지 형태는 루시의 *Exercises de Piano*의 10, 11, 19, 20번 등에 적용되어야 한다. 학생이 4가지 방법을 첫 번째 연습에 쉽게 적용하게 되면, 같은 방식으로 스케일을 연주할 수 있다.

위의 4가지 변화 형태는 오른손과 왼손이 서로 다른 방식으로 조합될 경우, 연주가 어려워진다. 양손으로 연주하면 모두 16가지 조합의 응용 형태를 얻을 수 있다. 이들은 모두 연주 가능할 뿐만 아니라 자주 사용되는 방식이다. 양손 리듬형의 16가지 조합은 다음과 같다.

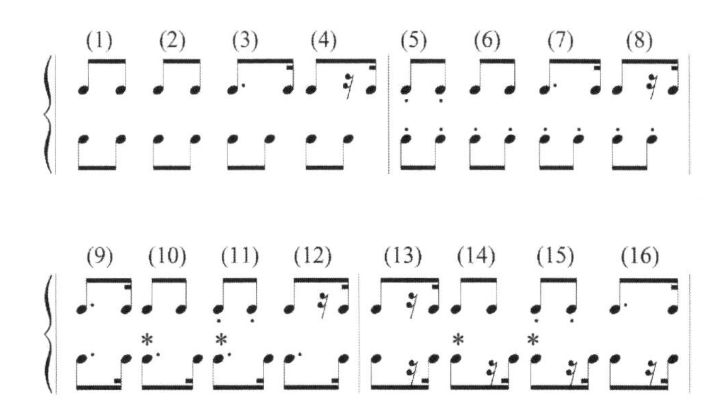

위의 16가지 리듬형 중 * 표시가 된 4가지는 특히 추천하는 연습법이다. 이 4가지 형태는 왼손 음이 오른손 음보다 지연되는 것으로, 특히 하행 진행에서 연주하기에 퍽 어렵다. 이 형태를 "one and," "two and," 이라고 세면서 연습하면 어려움이 쉽게 극복될 수 있다. 이때 "one"과 "two"를 강조하고, "and"에서 왼손의 16분음표 음을 친다. 제2번 스타카토 리듬형도 하행할 때 왼손이 연주하기에 어렵다.

이제 이 16가지 서로 다른 조합을 C코드에 적용해 보자.

〈예-40〉 왼손이 제1번 '레가토' 유형인 경우

〈예-41〉 왼손이 제2번 '스타카토' 유형인 경우

〈예-42〉 왼손이 제3번 '연장' 유형인 경우

〈예-43〉 왼손이 제4번 '쿨러' 유형인 경우

장3화음의 형태가 잘 연주되면, 3음을 반음 내린 단3화음도 반복해서 연습한다. 또한 이를 모든 장·단 조성에서 2옥타브, 3옥타브, 4옥타브로 확장하여, 병진행과 반진행으로 연습한다.36) 3분할 형태도 같은 방법으로 양손을 조합하여 연습해야 한다.

4음·6음·8음 그룹은 그 밖의 다른 조합을 생성하지 않는다. 4음 그룹은 2분할의 2배수이고, 6음 그룹은 3분할의 2배수이거나 2분할의 3배수이다. 이 책에서 제시한 16개 리듬 조합이 모든 박절 체계의 기본 틀을 이룬다. 이 기본 체계를 철저하게 이해하고 훈련한 사람은 박자와 관련한 어떠한 기술적인 어려움에도 결코 좌절하지 않을 것이다. 그러나 이 16가지 조합으로 간단한 음계조차도 연주할 수 없는 사람은 모든 단계에서 넘기 힘든 장애물을 만나게 될 것이다.

이러한 간단한 조합으로 많은 연주상의 난관을 미리 대비하고 극복할 수 있음에도 불구하고, 이런 모든 가능한 리듬 조합을 고려한 연습법이 지금껏 실행되지 않았다는 점이 놀라울 뿐이다. 이 16가지 조합을 철저히 익혔다면, 각 음의 개별적 음길이보다 음들의 그룹과 그 그룹이 나타나는 방

36) 루시의 *Exercises de Piano*는 C장조 코드로만 203가지 연습법을 제시하고 있다. 각 연습법은 모두 2분할 형태의 16가지 조합이고, 3분할 형태도 같은 방식으로 연습할 수 있다.

식에 더욱 집중하며 연주할 수 있게 된다.[37] 또한 동시에 각 음과 음그룹을 모두 적당한 길이와 터치로 연주할 수 있게 된다. 여러분은 이 연습법을 균일하고 동등한 구조의 모든 기악곡과 계명창 연습에 모두 골고루 적용해야 한다. 아울러 어떤 곡을 연주하기 전에 그 곡에 쓰인 다양한 박절 체계와 조합을 구별하고 명시할 수 있어야 한다.

작곡가가 다른 어떤 리듬형이 아닌 그 리듬형을 선택한 이유를 묻고 답할 수 있어야 한다. 하나의 곡이 리듬 형태에 따라 얼마만큼이나 전적으로 변화할 수 있는지 쉽게 알 수 있을 것이다. 오페라코미크 《성직자의 초원Le pré aux clercs》에 등장하는 다음 곡을 예로 들어보자.

〈예-44〉 제1번 레가토 유형을 포함하는 선율

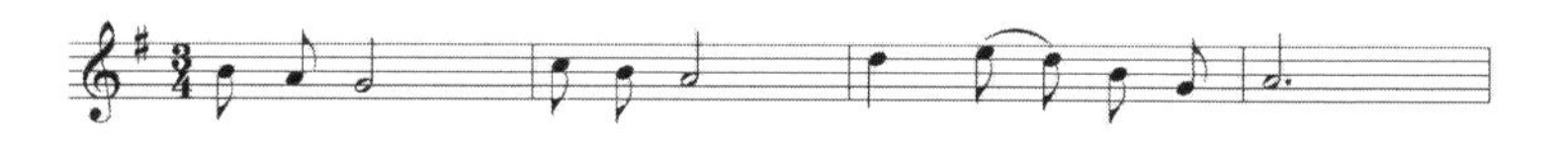

위의 선율은 무언가 애처롭고 매력적이다. 이 선율을 다음과 같이 제3번 '연장' 형으로 바꾸면, 긴박하고 위협적이며 힘이 넘치는 선율이 된다.

〈예-45〉 제3번 연장 유형으로 바꾼 선율

37) 제1번 레가토 유형과 제3번 연장 유형을 연주할 때는 손목과 팔은 가만히 있고 손가락을 들어올려야 한다. 제2번 스타카토 유형은 빠른 패시지에서 손목으로 연주해야 하고, 느린 패시지에서는 팔로 연주해야 한다. 제4번 쿨레 유형은 손가락과 팔의 조합으로 연주해야 한다.

위의 예시는 맥락에 따라 다른 어떤 리듬형보다 특정 리듬형을 더 선호하는 작곡가의 선택 권리를 정당화해 준다. 일반적으로, 제1번 '레가토' 유형은 열정 없는 평온함을 반영하고, 제2번 '스타카토' 유형은 불안과 경솔, 무모함 등을 반영하며, 제3번 '연장' 유형은 힘과 열정, 위협 등을 드러내고, 끝으로 4번 '쿨레' 유형은 무거움과 거칢이 없는 민첩한 추동력을 묘사한다.

어떤 음악적 구조와 그것이 불러일으키는 제스춰[38] 간의 관련성을 분석하는 일은 호기심을 자아내는 흥미진진한 연구이다. 이 주제에 대한 고찰은 우리를 너무 지나치게 멀리 나가게 할지 모른다. 그러나 특정한 박절 형태가 성악가뿐만 아니라 악기 연주자에게도 자연스러운 제스춰와 움직임을 유발한다는 점은 사실이다.

6. 실습

무엇보다도 가장 덜 훈련되고 가장 부족한 능력은 바로 시간 감각이다. 즉, 각 음에 정확한 음길이를 부여하고, 1음·2음·3음·4음·6음 또는 8음 등을 동일한 음가에 할당하는 것이다. 시간감이 부족하면 연주 실력의 발전이 더디고, 초견 능력도 방해받는다. 일단 박이 울려 귀에 도달하고, 교수가 학생에게 박과 박자를 잘 지도한다면, 어떠한 기술적인 난관도 심각한 장애가 못 될 것이다.

박 사이의 간격을 너무 길지 않게 세는 것이 필수적이다. 박절 악센트

38) [역주] 현대 들어 음악적 제스춰에 관한 연구가 다방면으로 진행되고 있다.

가 더 가깝게 붙을수록, 귀는 아주 작은 불규칙성에도 더욱 예민해진다. 눈은 특정 기준점 없이 무한한 공간을 포용할 수 없고, 귀는 소리의 기준점이 너무 넓게 떨어져 있으면 통일성과 규칙성을 유지할 수 없다. 음들이 서로 너무 멀리 떨어져 있으면, 강박의 주기적인 반복에 대한 본능적 욕구가 약해진다. 박들이 너무 멀리 떨어져 있다면, 마디를 나누어야 한다. 예를 들어, Adagio, Andante, Largo 악장에서 1박에 8음, 12음, 16음, 24음이 주어질 경우, 1박 심지어 1/2박까지도 한 마디가 될 수 있다.

악구 설정이나 박절 형태가 바뀌면, 전체 곡에서 박을 세는 방식 또한 바뀌어야 한다. 때에 따라 한 페이지 내에서 서너 개의 서로 다른 방식으로 박을 세어야 할 수도 있다. 박절적으로 새로운 그룹이나 형태가 도입되는 각 악구의 첫머리에서 변화가 시작된다. 두섹Dussek의 〈이별L'Adieu〉과 베토벤의 비창 소나타, 2악장 Adagio를 예로 들 수 있다.[39]

박을 셀 때, 박의 개수는 악구에 포함된 박의 개수와 가능한 일치 해야 한다. 예를 들어, 어떤 왈츠의 악구가 홑-3박자 2마디의 6박으로 구성되었다면, 이때 3박을 두 번 세는 것보다 2마디에 걸쳐 6박을 세는 게 더 좋다. 어떤 곡을 노래하거나 연주하든 간에 일단 전체 악보를 독보하고 나면, 박자가 정확하게 표시되어 있는지(2박자인지, 3박자, 4박자인지), 박이 어떤 음표들에 의해, 어떤 비율로 나타나는지 확인할 필요가 있다. 그런 다음, 아래의 사항들을 점검해야 한다.

---

39) 마디의 음들이 많을수록, 그것을 읽는데 더 많은 박을 세어야 한다. 2분박 형태일 경우 분박 시가의 음이 2개 이상 올 수 없고, 3분박일 경우 분박 시가의 음이 3개 이상 올 수 없다.

1. 홑박자인가, 겹박자인가.

2. 2분박과 3분박이 있는가. 있다면 그것이 지속적인가 다만 일부분인가.

3. 각 마디와 각 박에 얼마나 많은 박절 악센트가 부여되는가.

4. 어떤 음에 박절 악센트가 와야 하는가.

5. 무엇보다, 박이 정확하게 기보되어 있는가. 그렇지 않다면, 박을 형성하는 음들과 박절 악센트가 붙는 음을 즉각 눈에 띄도록 분리하고 그룹화해야 한다. 최소한의 부주의가 잘못된 악센트를 유발할 수 있다.

마디를 나누고 세는 방법은 다음과 같다.

먼저, 홑박자에서 4음이 올 자리에 6음이 출현하는지 확인하고, 또는 겹박자에서 8음이 올 자리에 6음이 출현하는지 확인하라. 셋잇단음표, 육잇단음표 등 잇단음표를 포함해 모든 시간적 특이사항을 표시하라.

춤곡, 론도, 폴로네즈, 볼레로, 알레그로, 프레스토, 푸가와 캐논에서 마디의 첫음은 악센트를 붙여야 한다. 이러한 양식에서 곡의 느낌을 살려주며 주도적으로 이끄는 요인은 바로 박절 악센트이다. 그러나 느린 악장에서는 마디 첫음의 악센트가 덜 요구된다. 몇몇 해석자는 각 마디와 박의 첫음에 강한 악센트를 주며 박절 악센트를 부각하기 위해, 악구와 관계없이 잘못 선택된 표현을 "좋은 리듬Bien rhythmer"이라고 지시한다.

나의 저서, *Exercises de Piano*를 추천하며 이 장을 마무리한다. 이 연습곡집은 모든 악기에 적용될 수 있으며, 현대 음악에 사용된 모든 박절 형태와 구성이 스케일과 아르페지오 형태로 제시되어 있기에, 여러분의 시간 감각을 고도로 향상시킬 것이다.

제5장

악구 악센트

1. 규칙 악구와 불규칙 악구
2. 강한 악구와 약한 악구
3. 리듬악구의 첫음
4. 종지 어법
5. 소악구와 리듬단편
6. 기악곡의 악구 법칙
7. 기악곡의 리듬단편
8. 기악곡의 악구 분석
9. 음악적 운율: 음악과 가사의 관계
10. 악구 악센트 규칙
11. 실습

제5장 악구 악센트

음악에서 악구를 표시하는 특별한 기호는 없다. 레가토 패시지, 악구를 형성하는 음그룹 또는 악구 일부에 무분별하게 그려 넣는 곡선은 대부분 잘못 사용되고 있다.

연주자는 악구의 첫음과 끝음이 확실히 인식될 수 있도록 각 악구를 구별하여 연주해야 한다. 음악 연주에서 잘못된 프레이징은 언어 낭송에서 잘못된 구두점이나 강세와 같다. 음들의 자연스러운 지향성, 그리고 의미를 지닌 음그룹의 끌어당김 법칙에 따르는 프레이징과 악센트는, 언어에서 단어 · 문장 · 문장의 일부에 적절한 힘을 주는 것만큼 중요하다. 좋은 연주란 전적으로 프레이징에 달려있다고 해도 과언이 아니다. 노래나 합창을 한 곡 선택하고, 각 행의 마지막 음절의 음에 쉼표[40]를 표시하라. 이 쉼표가 악구(시의 한 행과 일치하는 음집합)에 해당하는 음그룹과 마디 그룹을

40) Anton Reicha, *Traité de Mélodie*; Choron et de La Fage, *Traité de Mélodie* (Paris: J. L. Scherff, 1814)를 참고하라.

알려줄 것이다. 다음 노래를 예로 들어보자.

〈예-46〉 1마디 악구 (슈만, Op. 51, No. 1)

R. Schumann, Sehnsucht, Op. 51, No. 1

〈예-47〉 3/8박자 2마디에 해당하는 1마디 악구 (오스트리아 민요)

〈예-48〉 2마디 악구 (퀴켄Kücken)

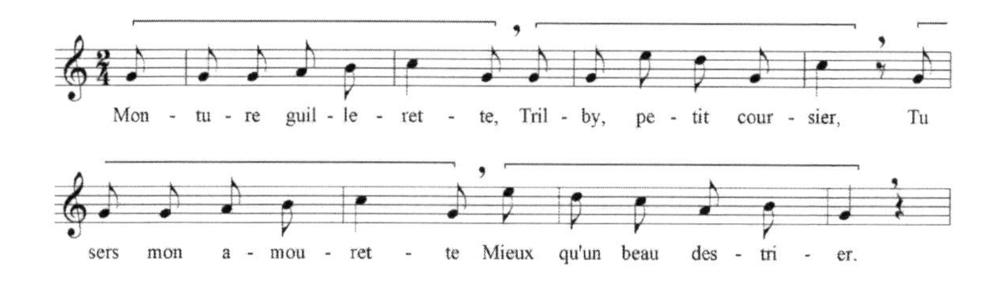

〈예-49〉 2마디 악구 (그레트리Grétry)

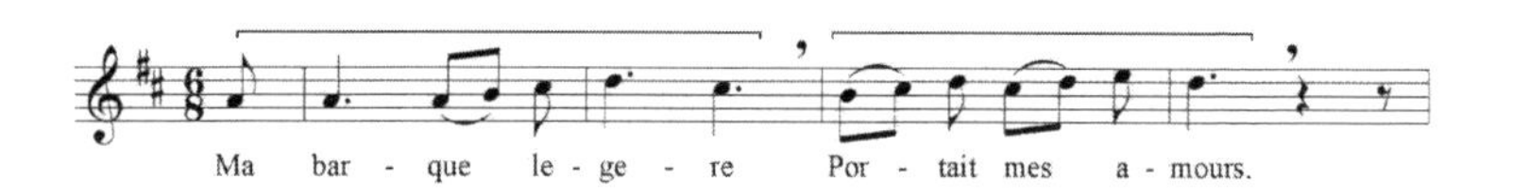

〈예-50〉 2마디 악구 (아일랜드 민요)

〈예-51〉 3마디 악구 (몽시니Monsigny)

〈예-52〉 3마디 악구 (몽시니)

〈예-53〉 4마디 악구 (그레트리)

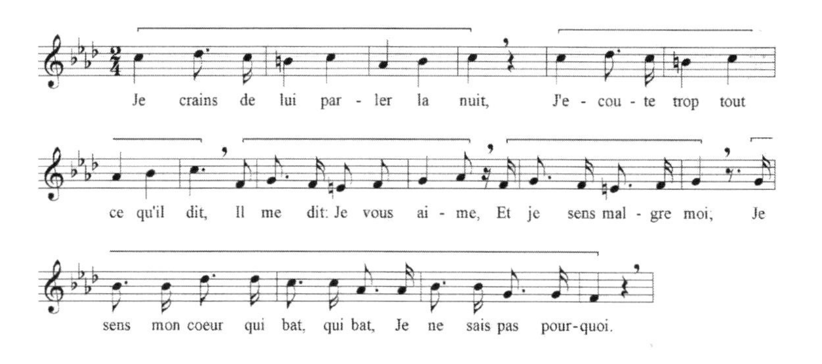

〈예-54〉 4마디 악구 (도미니크[Dominick])

〈예-55〉 5마디 악구 (멘델스존, 노래의 날개 위에)

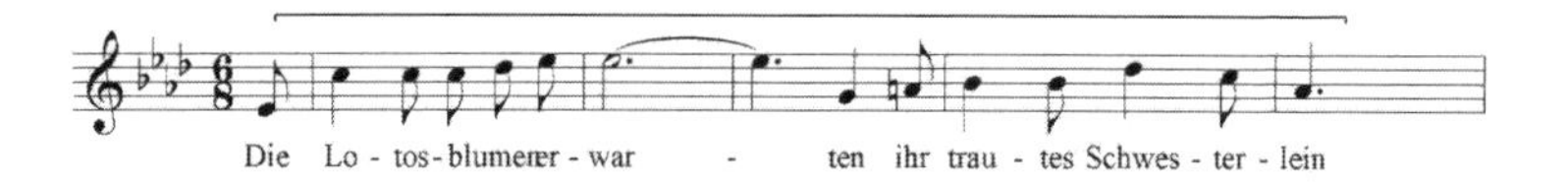

Mendelssohn, Auf Flugeln des Gesanges, Op. 34, No. 2

〈예-56〉 6마디 악구 (스쿠도Scudo, 성모의 실타래Le Fil de la Vierge)

〈예-57〉 다양한 길이의 악구 (모차르트, 돈 지오반니)

Mozart, *Don Giovanni*,
Il mio tesoro intanto

Verdi, *La Traviata*,
Libiamo ne' lieti calici

〈예-58〉 10(6+4)마디 악구 (베르디, 라 트라비아타)

위의 모든 예는 가사와 음악 간의 구조적 일치를 보여준다. 악구는 노랫말의 틀이다. 글에도 짧은 구문과 긴 구문이 있듯, 음악에도 1마디, 2마디, 3마디, 4마디, 5마디, 6마디, 7마디, 8마디 등으로 이루어진 다양한 길이의 악구가 있다. 박은 마디의 단위이고, 마디는 리듬악구의 단위이다. 2박, 3박, 4박이 하나의 마디를 형성하는 것처럼, 2마디, 3마디, 4마디가 모여 리듬악구를 형성한다.

1. 규칙 악구와 불규칙 악구

빠른 템포에서 귀는 본능적으로 2박자와 4박자, 그리고 2마디나 4마디 악구를 선호한다.[41] 홑-3박자 두 마디는 겹-2박자 한 마디처럼 들린다. 위의 〈예-46〉과 〈예-50〉은 규칙 악구이다. 3마디 그룹과 2·4마디 그룹의 조합(5마디, 6마디, 7마디, 8마디, 9마디, 10마디 등)에 의한 악구는 불규칙 악구이다. 〈예-51〉, 〈예-52〉, 〈예-55〉~〈예-58〉은 불규칙 악구이다.

불규칙 악구를 만들기 위해 작곡가는 '수축, 연장, 반복, 동형진행sequence, 에코echo, 반복의 다른 용어'의 5가지 방식을 사용한다. 모차르트의 〈예-57〉은 교육적으로 매우 유익하다. 그것은 불규칙 악구를 만드는 다양한 방식을 실질적으로 보여줄 뿐만 아니라, 이는 불규칙 악구를 빈번히 사용했던 모차르트와 베토벤의 프레이징 방식이기도 하다.

〈예-57〉의 첫 악구 끝에서 '반복'과 '수축'을 찾을 수 있다. 또한 2번째 악구 끝에서는 4마디가 5마디로 늘어나는 '연장' 기법이 쓰였다.

〈예-59〉 '반복'과 '수축'에 의한 불규칙 악구 (모차르트)

41) 왈츠는 이 규칙에서 예외로 보일 수 있지만, 실제로는 그렇지 않다.

〈예-60〉 '연장'에 의한 불규칙 악구 (모차르트)

악구를 '수축'하는 것은 2마디를 1마디로 합하여 음가를 줄이는 것이고, 악구를 '연장'하는 것은 1음 또는 몇 개의 음을 연장하거나 반복하여 마디를 늘리는 것이다.

〈예-61〉 '연장'에 의한 불규칙 악구 (멘델스존)

'반복'은 1마디 또는 몇 개의 마디를 반복해서 사용하는 것이다. 앞서 6마디 악구로 제시한 〈예-56〉은 반복을 억제하여 4마디 악구로 줄일 수 있다.

〈예-62〉 반복 음을 제거하여 축소된 악구

물론 이러한 훼손은 원곡의 가치와 독창성을 손상하며, 다만 어떻게 악구를 분석해야 하는지를 보여주기 위함이다. 〈예-58〉《라 트라비아타》의 아리아도 이런 식으로 변형하면 본래 아름다움을 전적으로 잃게 된다.

마디와 악구를 반복하는 대신에 종종 상행 또는 하행의 동형진행을 통해 악구 규칙성을 깨기도 한다.

〈예-63〉 상・하행 '동형진행'에 의한 불규칙 악구

마지막으로, '에코'를 통해 불규칙 악구를 만들 수 있다.

〈예-64〉 '에코'에 의한 불규칙 악구 (로시니, 세빌랴의 이발사 서곡)

위의 예시는 특징적으로 '에코'가 옥타브 아래에서 출현한다. 저음역의 에코는 다소 부자연스러울 수 있지만, 꽤 많이 사용된다.

〈예-65〉 옥타브 아래 '에코' (모차르트, 피아노 소나타 12번, 1악장, K.332)

작곡가들은 악구의 규칙성과 통일성을 깨뜨리며 악구를 재확립할 수 있는 수단을 자유롭게 구사할 수 있다. 가장 많이 사용되는 방식은 생략 ellipsis, 코다 coda, 그리고 지속음 pedal-point이다.

여기서 '생략'은 한 악구의 끝과 다음 악구의 시작을 동시에 지시하는 이중 역할을 하는 음이나 마디를 뜻한다. 〈예-68〉 베토벤의 가곡 〈미뇽〉과 다음의 〈예-66〉을 보라.

〈예-66〉 '생략'에 의한 악구 조작 (로시니, 세빌랴의 이발사)

위의 예시에서 * 표시한 제9마디의 E♭은 현재 악구의 끝이며 또한 다음 악구의 시작으로서 '생략'을 이룬다.

'코다'는 악구의 마지막 마디를 반복하거나 끝에 몇 마디를 더 보태는 것으로, 지나치게 규칙적일 수 있는 악구를 더 강하게 종결시킨다.

〈예-67〉 '코다'가 추가된 종지 악구 (모차르트, 피아노 소나타 11번, 1악장, K. 331)

악구 규칙성을 깨뜨리거나 재확립하기 위해 작곡가가 취할 수 있는 다양한 방법을 열거하고자 베토벤의 가곡 〈미뇽〉을 예로 든다. 이 노래는 악구의 조작과 변형에서 피아노 반주가 차지하는 중요성과 가능한 자원을 효과적으로 보여준다.

〈예-68〉 '생략'에 의한 악구 조작 (베토벤, 미뇽)

위의 예시에서 * 표시된 제6마디가 (선행악구의 마지막 마디와 후행악구의 첫 마디) 2마디를 1마디로 줄인 진정한 '생략'의 전형이다.

모차르트는 종종 악구 대칭성을 재확립하기 위해 '지속음'을 사용했는데, 이에 대해서는 모차르트의 피아노 소나타 14번, F장조 Presto 악장과 D단조 〈판타지아〉 등을 참고하라.

Beethoven, Mignon, Op. 75, No. 1

Mozart, Fantasia in D minor, K. 397

2. 강한 악구와 약한 악구[42)]

악구의 끝이 마디 첫음의 강박으로 끝나고 그 끝음이 가사의 장음절과 일치할 때, 이 악구를 **강한 악구**라고 한다. 반면, 악구 끝음이 마디 중간의 약박에 위치하는 악구를 **약한 악구**라고 한다. 다음 예시에서 첫 번째 악구는 마디 제2박의 단음절에서 끝나는 약한 악구이고, 2번째 악구는 마디 첫박의 장음절에서 끝나는 강한 악구이다.

〈예-69〉 약한 악구와 강한 악구 (퀴켄)

다음은 3차례의 연속적인 약한 악구 다음, 강한 악구가 오는 예이다.

〈예-70〉 연속적 약한 악구 뒤의 강한 악구 (오스트리아 민요)

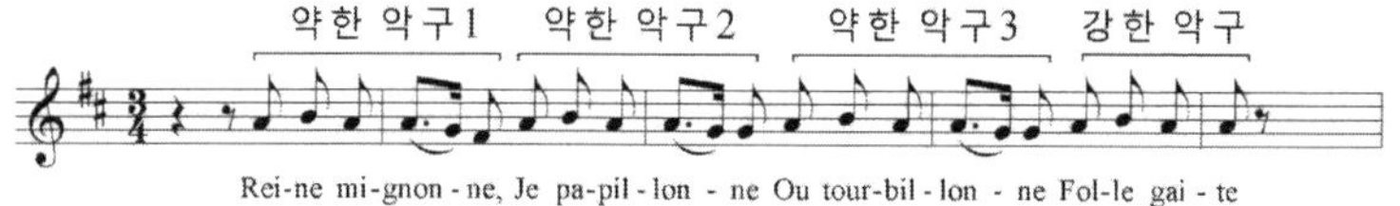

앞서 〈예-53〉은 강한 악구 2개 사이에 약한 악구가 1개 있는 구조이다.

---

42) [역주] 번역 원본에는 "masculine and feminine rhythms" 이라고 지칭했음.

그러나 종종 역으로 강한 악구의 끝음이 단음절이거나, 약한 악구의 끝음이 장음절인 경우도 있다.

〈예-71〉 끝이 장음절인 약한 악구와 끝이 단음절인 강한 악구

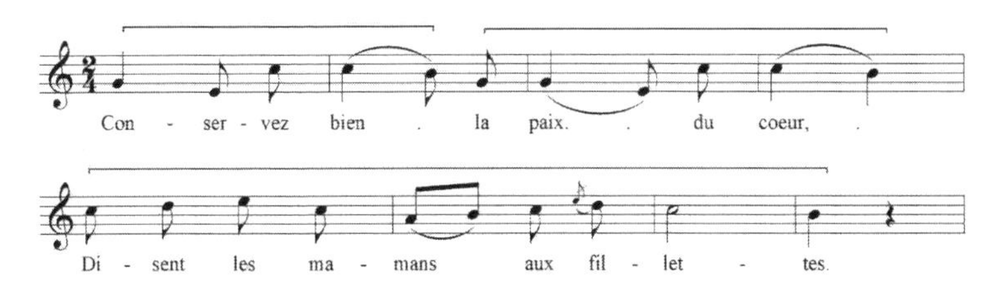

위의 예시에서 첫 번째 악구는 가사 "bien"으로 제2마디 제2박에서 끝나고, 2번째 악구는 가사 "coeur"로 제4마디에서 끝난다. 이 두 악구는 명백히 약한 악구이지만, "bien"과 "coeur"는 장음절이다. 마지막 마디 첫 박에서 "-tes"로 끝나는 3번째 악구는 강한 악구이지만, 단음절이다. 이것을 **전위 악구** inverted rhythm 라고 하며, 이때 약한 악구는 강해지고 강한 악구는 약해진다. 전위 악구는 다음의 방법을 통해 만든다.

1. 강한 구절의 마지막 음절에 여러 음을 붙여, 장음절이 마디의 약박 자리 또는 약한 악구의 끝음에 오게 한다.

2. 약한 구절의 끝에서 2번째 음절을 (더 길게 하거나 여러 음을 부여해) 연장하여 마지막 단음절이 강한 악구의 마지막 음 즉, 강박에 오게 한다.

이런 식으로 강한 구절의 마지막 장음절이 약한 악구의 끝음에 위치하

도록, 최종 음절을 연장하거나 그 음절에 여러 음을 붙여 보완해야 한다. 또한 약한 구절의 마지막 음절이 마디의 강박이나 강한 악구의 끝음에 위치하도록, 끝에서 2번째 음절을 더 길게 하거나 여러 음을 추가하여 만회해야 한다. 이렇게 함으로써 끝에서 2번째 음절이 마지막 음절보다 더 중요해진다. 다음 예에서 이 과정을 분명히 볼 수 있다.

〈예-72〉 강한 악구의 전위: 끝에서 2번째 음절의 연장

위의 예시에서 마지막 가사 *aime*의 끝에서 2번째 음절인 *ai-*를 두 음(𝅗𝅥 ♩)으로 연장함으로써, 강한 악구가 약한 단음절 *-me*로 끝맺는다.

〈예-73〉 강한 악구의 전위: 끝에서 2번째 음절의 음 추가

이러한 방법은 매우 합법적이지만, 남용해서는 안 된다. 거의 모든 악구가 전위되어, 강한 악구가 약해지고 약한 악구가 강해지는 그런 악곡도 있다. 약한 악구는 단음절로 끝나지만 다음의 경우 강해진다.

1. 마지막 마디의 제2음이 제1음보다 더 길 때, 즉 당김음으로 끝날 때

〈예-74〉 당김음으로 인해 강해진 약한 악구

〈예-75〉 당김음으로 강해진 약한 악구 (쇼팽, 마주르카, Op. 30, No. 2)

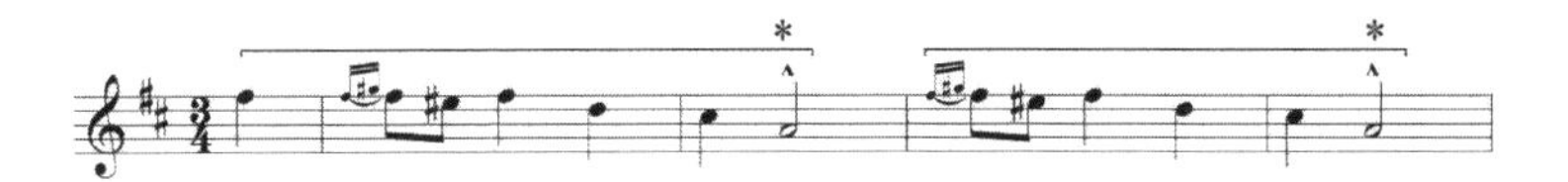

〈예-76〉 당김음으로 강해진 약한 악구 (쇼팽, 마주르카, Op. 7, No. 2)

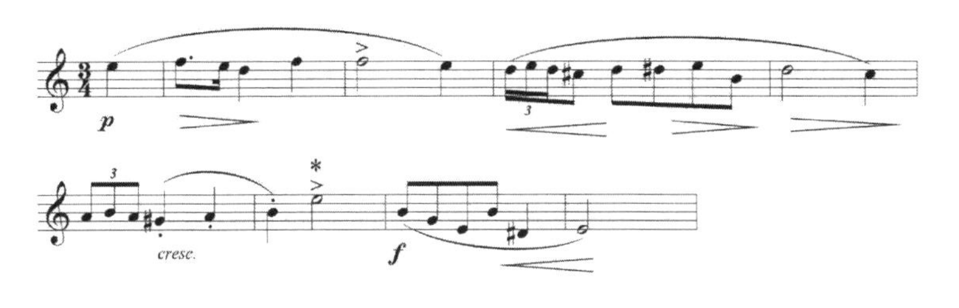

당김음에 의해 변화된 악구야말로 진짜 전위 악구라 할 수 있다.

Chopin, Mazurka, Op. 30, No. 2

Chopin, Mazurka, Op. 7, No. 2

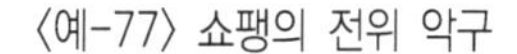
〈예-77〉 쇼팽의 전위 악구

전위 악구는 미세한 악센트 대신 당김음 또는 매우 강한 악센트 음을 배치함으로써 종지에 큰 에너지를 실어준다.

2. 마지막 음 앞에 쉼표가 올 때

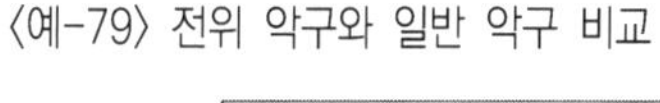
〈예-79〉 전위 악구와 일반 악구 비교

3. 마지막 음이 반복될 때 [43)]

〈예-81〉 전위 악구

4. 마지막 음이 다음 악구 첫음으로 연장될 때

〈예-83〉 전위 악구 (쇼팽, 마주르카, Op. 7, No. 4)

전위 악구에 대한 설명을 끝내기 전에, 이러한 악구 전위의 남용에 대해 특별한 주의를 주어야 할 것 같다. 작곡가들은 종종 음악적 논리에 반하여, 곡의 성격과 조화되지 않거나 심지어 자신이 써넣은 표현 기호와도

43) 이 책의 119쪽, 리듬단편 규칙 제4번을 참고하라.

노골적으로 모순되는 전위 악구를 만든다. 예를 들어, 몇몇 춤곡 또는 초보적인 악곡에서 다음과 같은 프레이징을 만나게 된다.

〈예-85〉 비논리적인 악구 표현

위의 예시에서 제2마디는 확실히 수정되어야 한다. 이러한 사소한 패시지에서 저런 정렬적인 표현 수단을 사용할 만큼 비논리적인 작곡가는 없을 것이다. 위의 악보는 다음과 같이 연주되어야 한다.

〈예-86〉 바람직한 악구 표현

따라서 이 같은 경우, 작곡가가 정말 강한 악센트의 악구를 원한 건지, 아니면 그저 부주의하게 쓴 것인지 판별해야 한다. 악구 전위를 남용한 또 다른 예를 잘 알려진 독일 곡에서 찾을 수 있다.

〈예-87〉 비논리적인 악구 표현

첫째, 악구 연결에 있어 위의 긴 이음줄은 부주의하며, 심지어 부정확하

게 놓여있다. 제2마디의 F와 E, 그리고 제4마디의 G♯과 A에 있는 디미누엔도의 의미는 무엇인가? 작곡가는 분명 제2마디의 E와 제4마디의 A가 약한 악구의 끝음이므로, 이 두 음은 부드러워야 하고 그다음에 쉼이 뒤따라야 한다고 생각했을 것이다. 바로 이러한 부정확성이 그가 부주의하게 음표를 그려 넣었음을 증명한다. 악구 법칙에 따라 위의 〈예-87〉은 다음과 같이 수정되어야 한다.

〈예-88〉 바람직한 악구 표현

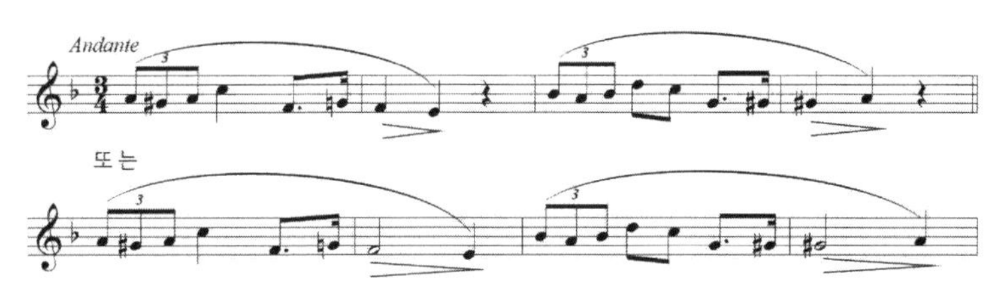

흔히 범하는 또 다른 실수는 약한 악구의 끝음 앞에 평범한 음 대신 꾸밈음을 붙이는 것이다. 이러한 작곡 방식은 완전히 잘못된 것이다. 왜냐하면 트릴이 선행되지 않는 이 같은 장식적 꾸밈음은 연주자가 이 음에 악센트를 붙이도록 유도하지만, 사실 이 음은 부드럽게 연주되어야 하기 때문이다. 누구나 이 음이 부드러워야 한다고 여기겠지만, 그렇지 않다. 사람들은 부드러움을 느끼지 못한다. 만약 느꼈다면, 100명 중 90명은 자신이 생각하는 것과 다르게 연주했을 것이다. 음악적 느낌을 끌어낼 수 없다면 그런 장식적 꾸밈이 무슨 소용인가. 왜 그런 부주의한 꾸밈음으로 혼동을 주는가. 이러한 부주의한 작곡 방식의 사례를 다음 두 예시에서 더 찾을 수 있다.

〈예-89〉 부주의한 꾸밈음 (레이바흐Leybach, 알르망드 주제)

〈예-90〉 부주의한 꾸밈음 (탈베르크Talberg, 윌리엄 텔)

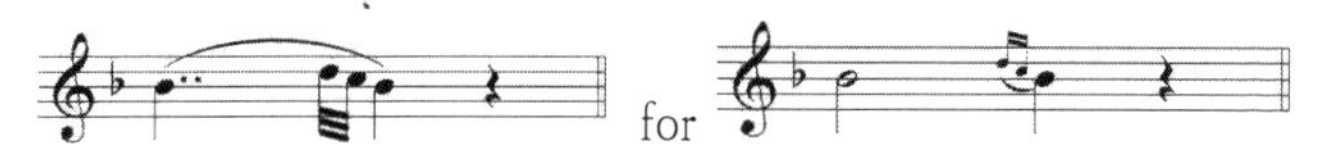

많은 작곡가가 이음줄로 묶인 그룹의 마지막 음에 다음과 같이 콤마 또는 점을 찍는 습관이 있다.

그러나 이런 점이나 콤마는 필요 없다. 이것들은 앞의 음과 연결되어 부드럽게 이어져야 하는 음에 악센트를 붙이도록 연주자를 자극한다.

3. 리듬악구의 첫음

여러분은 〈예-46〉부터 〈예-58〉까지의 예시에서, 악구가 마디 첫음으로 시작하지 않았던 점을 알아차렸을 것이다. 사실 악구의 첫음과 끝음은 강박이나 약박뿐만 아니라 분박의 어느 위치에든 올 수 있다. 그러나 단독의 마지막 악구는 박의 시작에 와야 한다. 이 점은 매우 중요하기에 몇 가지 예를 든다.

1. 제1박의 1/2박에서 시작하는 악구

〈예-91〉

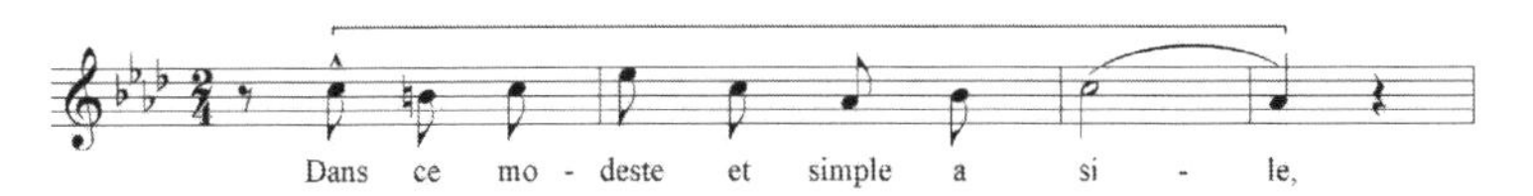

〈예-92〉

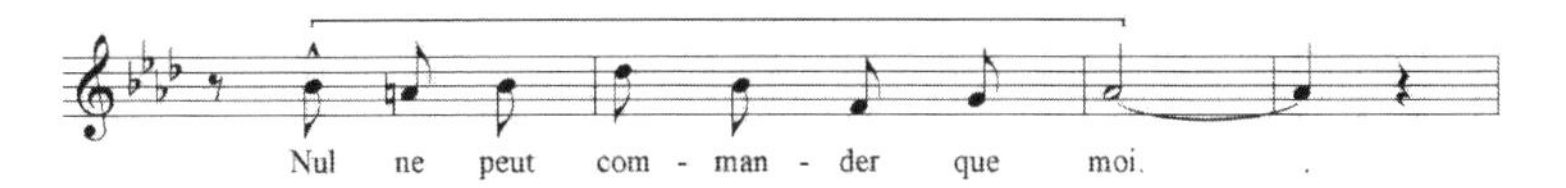

2. 제1박의 2/3에서 시작하는 악구

〈예-93〉

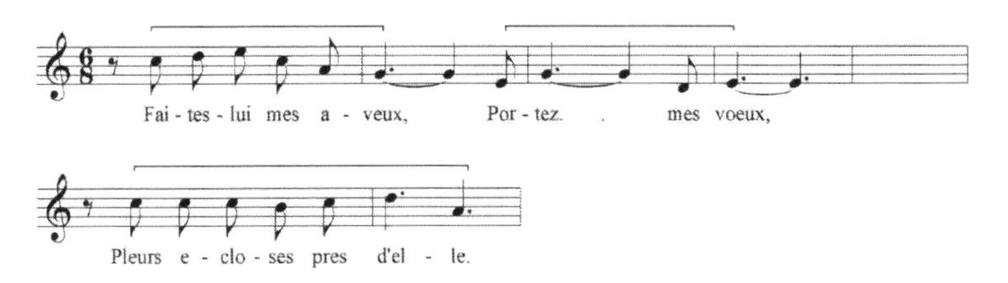

3. 제1박의 3/4에서 시작하는 악구

〈예-94〉

4. 제1박의 2/4에서 시작하는 악구

〈예-95〉

5. 제1박의 1/4에서 시작하는 악구

〈예-96〉

6. 제2박의 3/4에서 시작하는 악구

〈예-97〉

7. 제2박의 1/2에서 시작하는 악구

〈예-98〉

8. 제1박의 1/3에서 시작하는 악구

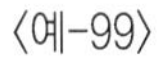

〈예-99〉

9. 제2박의 2/3에서 시작하는 악구

〈예-100〉

10. 제3박의 2/3에서 시작하는 악구

〈예-101〉

예시는 이것으로 충분할 것 같다.

또한 여러분은 일반적으로 후행악구가 선행악구와 같은 박이나 분박 위치에서 시작하며, 서로 길이가 같다는 점을 알아차렸을 것이다. 즉, 선행악구와 후행악구의 악구 구조가 동일하다는 것이다. 이는 논리적이다. 선행악구가 계류된 악구이면, 어떤 변화가 주어지지 않는 한, 마지막 악구도 그럴 것이다. 그러나 작곡가들은 같은 악구 형태를 4번, 8번, 또는 12번 반복한 후, 지속적인 악구 형태의 단조로움을 깨기 위해 다른 악구 형태를 고안할 것이다. 이러한 대칭적인 연결, 즉 서로 다른 악구 형태의 연속이 작곡의 골격을 이룬다.

앞의 〈예-100〉에서 각 악구의 마지막 음(♪)이 6/8박자의 3박 묶음에서 의도적으로 분리된 것을 볼 수 있다. 이는 박의 첫음이 이전 악구의 끝음이라면, 다음 악구를 이루는 나머지 음들과 같은 그룹으로 묶어서는 안 되기 때문이다. 이런 까닭에 때때로 악구의 마디 수를 세는 일과 악구의 시작점을 결정하는 일이 어려워진다.

다음 원칙이 유용할 것이다. 어떤 악구의 첫음이 이전 악구의 끝음과 같은 마디에 있을 때, 마디 수로 세지 않는다. 단, 생략ellipsis이 있을 때는 마디 수에 포함한다. 따라서 〈예-100〉에서 시작 마디의 4개 음은 마디 수로 세지 않는다. 다시 말해, 단순히 마디를 시작하거나 채우기 위해 삽입된 이 4음이 지나갈 때까지 악구는 시작되지 않는다. 결과적으로 〈예-100〉의 악구는 박절적으로 다음과 같은 형태가 된다.

〈예-102〉 악구의 소절 수 세기

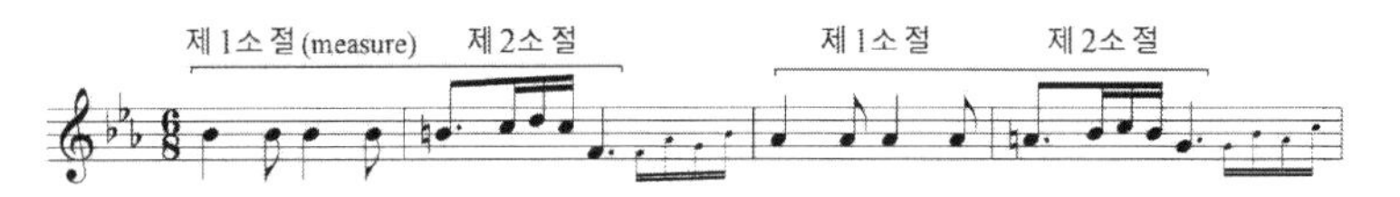

많은 연주자가 어려운 패시지를 반복 연습할 때 잘못된 방식으로 한다. 마디의 중간에서 연습을 시작할 때, 선행악구의 끝음과 후행악구의 첫음을 포함한 전체 마디를 반복한다. 이것은 나쁜 습관이고, 악구 감각을 기르는 데 큰 방해가 된다. 이는 마치 책을 읽을 때, 마침표 뒤에서 시작하지 않고 대신 앞 구절의 마지막 단어를 반복해서 읽는 것과 같다.

4. 종지 어법

성악이든 기악이든 음악을 들을 때 악구와 관련하여 우리 귀에 가장 두드러지는 점은 각 악구 끝음이 구부러지거나 하강하며 마치 멈추는 듯한 인상을 준다는 점이다. 이는 일반적으로 악구의 끝음보다 더 길거나 짧은 음가의 쉼표에 의해 확인된다. 악구는 대부분 규칙적이고 대칭적인 그룹으로 구성되기에, 이러한 종지나 휴지는 자연스럽게 일정한 법칙에 따라 반복된다. 몇 개의 악구가 이어질 때, 그중 한 악구는 으뜸음이라고 불리는 음에 의해 명확하게 종결되는데, 이때 귀의 욕구가 완전히 충족되며 악절이 끝났다는 확실한 종지감이 든다. 이러한 리듬악구의 연속은 귀에 완전하고 최종적인 휴식감을 주는 소리로 끝맺으며 악절을 형성한다. 반면, 어떤 악구는 묻는 형태나 계류된 음으로 끝나며, 귀에 약간의 휴식만 줄뿐 계속 더 듣고 싶은 욕구를 남긴다.

종지의 기본 속성은 소리가 귀에 주는 휴식감이다.44) 종지는 박절·악구·조성의 3가지 요인에 의해 발생한다. 일련의 소리 자극이 박절감을 갖추려면 다음 조건이 확실히 충족되어야 한다.

1. 자극이 박절적이어야 한다. 즉, 2번째, 3번째, 또는 4번째마다 주기적으로 강한 자극이 와야 한다.

2. 악구 구조를 갖춰야 한다. 즉, 같은 음·음가·분할 등에 의해 2마디 또는 4마디가 반복되며 유사한 대칭적 그룹을 형성해야 한다.

3. 8마디, 12마디 또는 16마디마다 규칙적인 멈춤 또는 쉼이 와야 한다.

음악적 종지는 다음 조건에 의해 얻어진다. (1) 긴 음, (2) 쉼표가 뒤따르는 음, (3) 마지막 마디의 첫음, (4) 약박의 종지음 앞에 그 음보다 더 길거나 적어도 같은 길이의 음이 올 때, (5) 약박의 종지음 앞에 더 짧은 여러 개의 음이 올 때.

---

44) 루시의 *Exercises de Piano*의 83쪽, 종지 챕터를 참고하라.

〈예-103〉 긴 음에 의한 종지

위의 종지를 다음 〈예-104〉와 같이 변형하면, 마지막 5번 예는 앞의 다른 4개 형태보다 완전하지는 않지만 그럼에도 종지감은 줄 것이다. 사실 이 5번 종지는 선행악구의 끝맺음 형태와 크게 다르지 않다. 선행악구의 종지가 보류되어 있기에, 더 명확히 끝맺어야 하는 종지 악절에 같은 종류의 모호함이 남게 된다.

〈예-104〉 종지 패턴의 변화

반면 후행악구를 다음 예시와 같이 끝맺는다면, 종지 악구의 조건이 충족되지 않아 종지감이 형성되지 않는다.

〈예-105〉 종지감을 주지 못하는 패턴

홑-3박자의 경우, 제2박에서 끝맺으면 종지감을 주지 못하는 반면, 제3박에서 끝맺는다면 악구를 종결할 힘이 생긴다.

〈예-106〉 3박자의 불완전한 제2박 종지 (마르카이유Marcailhou, 급류Le Torrent)

위의 예시에서 (비록 베이스 파트가 마디를 완성하지만) 주선율로서 두 악구의 마지막 음이 확실히 귀의 종지감을 만족시키지 못한다. 다음과 같이 한두 개 음이 더 필요하다.

〈예-107〉 3박자의 완전한 제3박 종지

그러나 〈예-106〉을 다음과 같이 2박자로 바꾸면 종지감이 완벽히 만족스러워진다.

〈예-108〉 2박자의 완전한 제2박 종지

이제, 순전히 박절적·악구적 의미 외에 이러한 패시지에 악절을 구성하는 음악적 의미를 부여한다면, 장·단조의 음을 사용하거나 으뜸음으로

끝맺음으로써 그렇게 할 수 있다. 전조 시에는 원조의 으뜸음이나 새 조의 으뜸음 중 하나가 필수적으로 사용되어야 한다. 반면, 자연스러운 패시지에 다른 조성의 ♯이나 ♭이 아무렇게나 추가된다면, 종지감을 얻지 못할 것이다. 또한 딸림7화음을 이루는 음이 추가된다면, 종지감은 단지 보류되거나 불완전해질 것이다. 그러므로 완전한 악절을 만들려면 최소한 딸림7화음과 으뜸화음이 있어야 한다. 결과적으로, 악절을 구성하는 필수 3요소는 **박절, 악구, 조성**이다. 이 3요소의 융합이 조성음악이라는 예술의 기초를 이룬다. 박절 구조와 악구 구조는 음악의 골격이고, 장·단 선법의 조성은 음악의 숨·생명·영혼이다.

사실, 언어의 구두점과 음악의 종지는 정확히 같은 역할을 한다. 구두점이 문법적 어구의 단어 그룹을 분리하듯, 음악에서 모든 종지는 종지감을 형성할 수 있는 적당한 길이의 쉼 또는 멈춤이 필요하다. 음악이론에서 다양한 종류의 종지를 일컫는 용어로, 완전 종지, 불완전 종지, 끊어지거나 중단된 종지, 전위된 종지 등이 있다. 이는 언어의 마침표, 세미콜론, 콜론, 쉼표, 물음표, 느낌표 등에 해당한다. 리듬악구와 관련하여 이들은 소(小)악구hemistich,45) 리듬단편section,46) 캐주라caesura47)라고 부른다.

---

45) 헤미스틱Hemistich은 영웅시 또는 알렉산드린(프랑스어 운문 형식; 역자)의 반절(半節)을 뜻한다. (그리스어로 *hemi*는 '반', *stikhos*은 '운문'을 뜻한다.)

46) 섹션Section은 분리된 부분이나 시행의 일부를 형성하는 단어 또는 짧은 단어들의 그룹을 뜻한다. (라틴어로 *sectio*은 '자름', '부분'을 뜻한다.)
예시:

Que *toujours* dans vos *vers* le *sens*, coupant les mots,
Suspende *l'hémistiche*, en marque le repos.

위의 두 행에서 *toujors*와 *sens* 다음이 섹션이고, *vers*와 *l'hémistiche* 다음이 헤미스틱이다.

47) 캐주라Caesura는 일반적으로 알렉산드린에서 2개의 헤미스틱 사이의 6음절 뒤에 오

다음 〈예-109〉는 음악적 구두점에 대한 흥미로운 표본이다. 이는 유명 음악이론가 마테존Johann Mattheson이 1737년 『선율과학의 핵심』[48]에서 분석한 미뉴에트이다. 마테존은 다음과 같이 언급했다. "전체 단락은 16마디로 구성되고, 표시된 반복 지시에 따라 48마디를 이룬다. 단락은 마침표와 콜론으로 표시된 2개의 악구(또는 악절)로 구성된다. 이들은 세미콜론으로 표시된 소악구1/2와 콤마로 표시된 쿼터악구1/4로 세분된다. 제1마디와 제5마디의 * 표시는 3배 더 강조하라는 표현 악센트를 뜻한다. 기하학적 구절 연결은 +로 표시하고, 장단 음보율feet은 —와 ∪로 표시한다. 제1~2마디와 제5~6마디의 음보율이 같고, 제9~10마디와 제11~12마디의 음보율도 같다. 이는 산술적인 통일성을 제공한다."

〈예-109〉 음악적 구두점 표기 (마테존, 미뉴에트)

는 일시적 중지를 뜻한다. (라틴어로 *cæsus*는 '자르다'를 뜻한다.)

48) Mattheson, *Kern melodischer Wissenschaft*, Hamburg: Christian Herold, 1737.

위의 분석이 행해졌을 당시로는 꽤 주목할 만했던 이 낯선 분석 방식에 더 추가할 사항은 없어 보인다. 다만 마테존이 제1마디와 제5마디의 당김음에 (박절과 악구에 맞지 않는 악센트라는 의미에서) "표현 악센트"라는 용어를 썼다는 점은 주목할 만하다.

5. 소악구와 리듬단편

음악에서 리듬악구의 길이는 언어에서 구절verse의 길이와 같다. 강한 구절과 약한 구절이 있듯 강한 악구와 약한 악구가 있다. 음악의 다양한 종지와 멈춤은 문법적 구두점의 다양한 표시와 정확히 일치한다. 구절과 악구의 유비는 여기서 끝나지 않는다. 하나의 구절이 일시적 중지caesura로 인해 헤미스틱hemistich과 섹션section으로 세분되는 것처럼, 악구도 각 부분 간의 멈춤을 통해 몇 개의 부분으로 세분된다. 예를 들어, 81쪽 〈예-54〉를 보면, 4음절 뒤에서 캐주라caesura를 찾을 수 있다. 따라서 이 패시지는 다음과 같이 기보할 수 있다.

〈예-110〉 캐주라에 의한 리듬그룹 나눔 (예-54)

다음 〈예-111〉에서는 6음절 뒤에서 일시적 중지caesura를 찾을 수 있다.

〈예-111〉 캐주라에 의한 리듬그룹 나눔

위와 같이 각 악구는 2개의 소악구 또는 헤미스틱hemistich으로 분리된다.[49] 그리고 악구가 소악구로 나뉘는 것과 마찬가지로, 소악구도 다시 더 작은 부분인 리듬단편section으로 세분된다.

〈예-112〉 쉼표로 표기한 리듬단편 구분

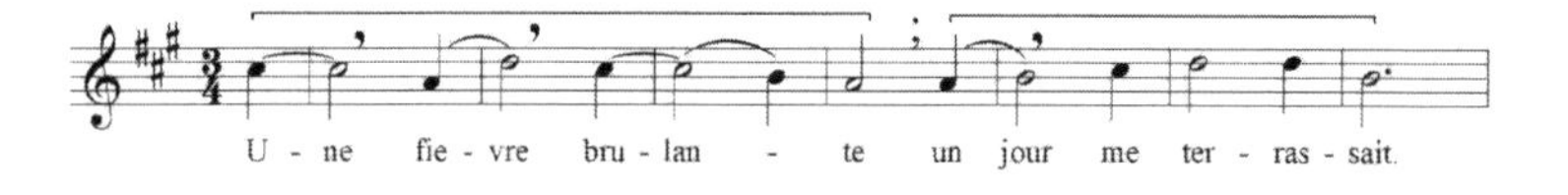

위의 예시에서 선행악구는 "une"와 "fièvre" 뒤에서 리듬단편이 분리되고, 후행악구는 "jour" 다음에서 리듬단편이 분리된다. 앞의 81쪽, 〈예-53〉의 마지막 악구는 다음과 같이 7개의 리듬단편으로 구성된다.

〈예-113〉 7개의 리듬단편으로 구성된 악구 (예-53)

49) [역주] 여기서 악구와 소악구의 길이는 리듬조합의 '상대적' 구분임을 분명히 한다.

이러한 예들은 악구와 마찬가지로 소악구와 리듬단편도 어떤 박이나 분박에서도 시작할 수 있음을 알려준다. 또한 악센트가 있거나 없을 수도 있고, 강하거나 약할 수 있음을 보여준다. 성악곡은 음악과 가사의 단위가 일치하기에 악구·소악구·리듬단편을 쉽게 구분할 수 있다. 그러나 기악곡에서 이들을 구분하려면 매우 세밀하게 관찰하여 명확하고 지적으로 연주해야 하며, 이는 주의 깊은 분석을 요하는 일이다.

6. 기악곡의 악구 법칙

지금까지 언어의 구절이 악구를 찾는 데 도움을 주었다. 그러나 불행히도 기악에서는 이러한 확실한 가이드가 부족하다. 악구가 표시되지 않을 때가 많으며, 잘못 표시되는 경우는 더더욱 많다. 위대한 거장의 작품에서조차 그러한 실수가 상당수 발견된다. 그러한 예를 들기 전에, 이 책에서는 기악곡에서 악구를 찾는 최상의 방법을 보여주고자 한다.

1. 음들이 유사한 대칭 구조로 2마디씩, 3마디씩, 4마디씩 그룹으로 배열되어 있는지 찾아라. 각 그룹은 이전 그룹과 차이점이나 유사성으로 서로 구별되며, 그 길이에 따라 하나의 단위, 악구, 또는 리듬단편을 형성한다.

2. 이러한 마디 그룹에서 같은 음이나 같은 길이의 음들이 반복되는지, 그리고 그것들이 더 긴 음이나 쉼표로 끝나는지 보라.

3. 무엇보다, 각 그룹의 마지막 음이 귀에 주는 휴식감에 주의를 기울여라. 이러한 느낌이 다음 어떤 것이 이어질 것 같은 욕구를 남기는 단순한 멈춤인지, 아니면 확실하고 최종적인 끝맺음인지 구별하라.

다음 패시지에서 악구를 표시한다고 가정해 보자.

〈예-114〉 모차르트, 피아노 소나타 11번, 1악장

우리는 다음과 같이 말할 수 있다. 제1마디와 제2마디는 정확히 같은 모양이므로, 각각 하나의 단위 또는 그룹이다. 제3마디와 제4마디는 서로 조금 다르다. 이 두 마디는 상·하행의 움직임으로 연결되어, '열린 원'이라고 부르는 형태를 이룬다. 제5~6마디는 제1~2마디와 정확히 같다. 제7~8마디는 제3~4마디와 비슷하면서도 조금 다르다. 제7마디는 으뜸음에서 버금딸림음으로 순차 상행하고, 제8마디는 방향을 바꾸어 다시 으뜸음으로 하행한다. 이로써 제7~8마디는 '닫힌 원'의 형태를 이루게 된다. 따라서 위의 패시지는 다음과 같이 프레이징 된다.

〈예-115〉 악구 분석 (모차르트)

〈예-116〉 모차르트, 피아노 소나타 12번, 1악장

위의 예시에서 제1~3마디는 리듬형이 같다. 각각 2분음표 하나와 4분음표 하나로 구성된다. 이것으로는 하나의 악구를 이루기에 충분하지 않다. 제4마디에 명확한 끝맺음을 암시하는 쉼표가 와야 한다. 이어지는 제5~8마디는 각각 서로 다르며, 제8마디에 쉼표가 있다. 따라서 위의 패시지는 다음과 같이 프레이징 된다.

〈예-117〉 악구 분석 (모차르트)

〈예-118〉 모차르트

〈예-118〉의 제3마디에서 긴 음 G 뒤에 오는 짧은 F는 귀에 휴지감을 주는데, 그것이 으뜸음이기에 더욱 그렇다. 반면, G는 단지 계류음이기에 생략할 수 있다. 따라서 제3마디 첫 F가 선행악구를 종지하며, 뒤따르는 F는 후행악구의 첫음이다. 후행악구는 선행악구와 같은 위치, 즉 제2박의 1/2에서 시작한다. 동일한 분석이 제5마디에도 적용되어 A가 계류음으로 생략되고, G가 악구를 종지한다. 따라서 다음과 같이 프레이징 된다.

〈예-119〉 악구 분석 (모차르트)

이러한 예들은 앞서 언급한 원리를 설명하는 데 충분할 것이다. 또한 어떤 음악의 어떤 경우에서든 적용될 수 있는 방법을 보여주며 그 유용성을 증명할 것이다.

7. 기악곡의 리듬단편

이제 악구에서 "리듬단편section"으로 이동하여, 그것들을 알 수 있는 몇 가지 규칙과 원리를 확립할 것이다. 칼크브레너Kalkbrenner는 《피아노 연습곡집 Méthode de piano》서 다음과 같은 패시지를 제시했다.

〈예-120〉 칼크브레너, 피아노 연습곡

그는 위의 패시지에 10가지 서로 다른 악센트 붙임 방식을 제시했는데, 이 중 몇몇을 인용하겠다.

〈예-121〉 칼크브레너의 악센트 붙임 방식 중 일부

위와 같은 방식은 쉽게 20가지, 40가지 방식으로 늘어날 수 있다. 칼크브레너가 이 패시지에서 한 일은 다른 모든 음그룹에서 행해질 수 있다. 바이올린을 위한 모든 연습 방법은 가장 기본적인 패시지에서 조차 서로 다른 악센트를 제공한다. 반면, 피아니스트는 가장 재미없고 단조로운 방식으로 연습하는 데 만족한다.

그러나 오직 다양한 악센트에 의해서만 표현력이 풍부하고 흥미로운 연주가 가능하다. 모차르트나 베토벤의 바이올린 소나타를 보면, 바이올린 운궁법은 매우 세심한 주의를 들여 꼼꼼하게 표기되었지만, 피아노에는 유사한 표시들이 전적으로 생략되어 있다. 음그룹에 서로 다른 방식의 운궁법을 적용함으로써 아주 많은 리듬단편을 만들 수 있다. 왜냐하면 리듬단편이란 곧 아티큘레이션 또는 이음줄로 연결된 몇몇 음에 해당하며, 그 뒤에는 짧은 쉼이 이어지기 때문이다.

리듬단편을 형성하는 분리된 음은 그 자체로 단음절 또는 모음을 나타낸다. 또한 몇 개의 음으로 구성된 리듬단편은 단음절, 모음, 또는 다[多]음절 단어도 필요로 한다. 그러나 이렇게 리듬단편을 만들 수 있더라도, 꼭 그것을 따라야만 하는 것은 아니다. 2~4개의 음들이 이음줄로 연결되는 이유는 매우 간단하다. 그 음들이 1음절 안에 포함되기 때문이다. 따라서 이음줄로 연결된 두 음은 다음 〈예-122〉와 같이 단음절 단어이거나, 하나의 모음, 또는 앞음절이 길고 뒷음절이 짧거나 묵음인 2음절 단어이다.

〈예-122〉 단음절 또는 2음절로 된 리듬단편

단어 *ame, table, femme* 에서 앞음절은 장모음이고 뒷음절은 단모음이기에, 앞음절에 강세를 주고 뒷음절은 약하게 소리내야 한다. 즉, 뒷음절은 4분음표 음가를 다 채우지 않고 점8분음표의 길이만큼 소리낸다. 따라서 위의 패시지는 다음과 같이 연주되어야 한다.

〈예-123〉 리듬단편의 연주

피아노에서 원하는 효과를 얻으려면, 앞음은 단단하게 치고 나서 뒷음을 부드럽게 터치할 때까지 앞음을 누르고 있어야 한다. 이때 두 손가락은 뒷음의 건반에서 부드럽게 미끄러지며 동시에 떼어야 한다. 현악기에서는 이 두 음을 한 활에 연주하고, 관악기에서는 한 호흡으로 앞음에 힘을 주고 뒷음은 부드럽게 연주한다.

피아노에서, 이음줄로 묶인 음들은 그 안에 음이 얼마나 많든 간에 첫 음에 가해진 한 번의 손목 운동으로 연주하고, 나머지 음은 손가락만으로 분절한다. 더 이상 손목을 움직이지 않고, 손이 그저 오른쪽이나 왼쪽으로 미끄러지듯 연주하면 된다. 하나의 패시지에서 몇 차례의 손목 운동이 요구될 경우, 이는 그 패시지가 여러 개의 리듬단편으로 구성되어 있음을 뜻한다. 결과적으로, 하나의 리듬단편에 포함되는 음들은 한 번의 손목 운동, 한 번의 활, 한 번의 숨으로 연주해야 한다. 이러한 원칙은 피아노곡에서 리듬단편을 파악하는 데 도움을 주기에 반드시 숙지해야 한다.

다음은 잘못된 프레이징의 사례를 무작위로 고른 것이다.

〈예-124〉 잘못된 프레이징

위에서 표시된 악구를 피아노에서 한 번의 손목 운동으로 연주하는 것은 분명히 불가능하다. 왜냐하면 무엇보다 제2마디 시작음에 악센트가 있고, 끝의 두 음 A♭이 반복되기 때문이다. 따라서 제2마디의 꾸밈음인 첫 번째 A♭과 마지막 3번째 A♭(♩.)은 각각 따로 손목을 써야 한다. 즉, 다음과 같이 프레이징 되어야 옳다.

〈예-125〉 올바른 프레이징

이제 거장 작곡가들이 기악곡에서 리듬단편을 활용하는 예들을 제시하겠다. 일반적으로 성악곡은 가사의 의미와 절의 길이를 준수해야 하지만, 기악곡은 완전히 자유롭다. 기악곡에서는 다음의 경우, 리듬단편이 형성된다.

1. 몇 차례 반복되는 짧은 음형(또는 같은 길이 음들의 소그룹) 다음에

2. 몇 차례 반복되는, 긴 음과 짧은 음으로 구성된 음형 다음에

3. 몇 차례 반복되는, 짧은 음과 긴 음으로 구성된 음형 다음에

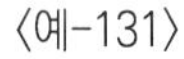

4. 이전 마디 · 박 · 분박의 끝음이 다음 마디 · 박 · 분박의 첫음으로 동음 반복될 때, 특히 그 음이 계류음일 때, 그 반복음 앞에서

〈예-133〉 레이시거Reissiger, 베버의 마지막 왈츠Wever's last Waltz

〈예-134〉 베토벤

〈예-133〉에서 첫 번째 E♭을 친 뒤, 제2박에서 2번째 E♭을 치기 위해 손을 들어올려야 한다. 그러면 잠시 짧은 쉼이 생겨 다음 음에 힘과 악센트가 부가된다. 따라서 〈예-133〉의 리듬단편 분석은 완벽히 적합하다.50)

---

50) 베토벤, 비창 소나타, 2악장, 제24 · 26 · 27마디와 앞의 〈예-32〉를 참고하라.

〈예-135〉

위의 예시는 다음과 같이 3번의 손목 운동으로 연주되어야 한다.

〈예-136〉 리듬단편 분석

위에서 설명한 원칙에 따르면, 앞의 113쪽에 제시한 모차르트 피아노 소나타 F장조의 〈예-117〉은 다음과 같이 연주되어야 한다.

〈예-137〉 악구 및 리듬단편 분석 (모차르트)

5. 마디나 박의 첫음과 2번째 음이 동음이고, 서로 음가가 같거나 2번째 음이 더 길 때, 두 음 사이에서 리듬단편이 형성된다. 이 규칙은 악구가 마디의 마지막 박에서 시작될 때 특히 지켜져야 한다. 이 악센트는 너무 강렬해서 다음 〈예

-140〉과 같이 성악가는 종종 그것의 문법적 의미를 희생시킨다.

〈예-138〉

〈예-139〉 벨리니, 오페라 노르마

〈예-140〉 도니제티, 오페라 루치아

이 원칙에 따라 오스본Osborne의 왈츠 〈진주의 비La Pluie des Perles〉에서 다음 패시지는 두 번째 방식으로 연주되어야 한다.

〈예-140〉 오스본, 왈츠 진주의 비

Reissiger, Weber's Last Waltz

Osborne, Valse "La Pluie de Perles"

그러나 이러한 조건의 리듬단편은 판별하는 데 어려움이 따른다. 그 반복음이 만약 새 리듬단편의 첫음이 아닌 약한 악구나 리듬단편의 끝음이라면, 그 음은 악센트와는 거리가 먼 부드러운 음이기 때문이다.

〈예-142〉 마디 처음 두 동음 사이에서 리듬단편이 분리되지 않는 경우

위의 예시에서 제2마디의 2번째 F와 제6마디의 2번째 A는 명백히 약한 악구의 끝음이며, 따라서 악센트를 지니지 않는다. 그 음들은 부드러우며, 일종의 선행음인 앞음과 연결된다. 그 선행음이 2도 위 온음으로 대체되거나 제4마디에서처럼 생략될 수도 있기 때문이다.[51]

〈예-143〉 소악구 및 리듬단편 분석

51) 이 책의 143~144쪽에서 악구의 끝음을 찾는 원리를 참고하라.

〈예-143〉에서 * 표시한 제1마디의 2번째 A, 제3마디의 2번째 G, 제5마디의 2번째 C, 그리고 제7마디의 2번째 B♭은 리듬단편의 시작으로 간주될 수 있다. 따라서 이 음들은 비록 약박 자리에 위치하더라도 크게 연주해야 한다. 이때 반복되는 2번째 음 앞의 첫음은 이전 리듬단편의 끝음이므로, 길이가 짧아질 뿐만 아니라 악센트도 없다. 이 같은 지속적인 반복 형태는 흔하게 볼 수 있으며, 느린 곡이 아닌 한 악센트를 붙이면 안 된다. 빠른 곡에서 이런 첫음에 악센트를 주면, 소리가 고르지 않고 만족스럽지 못하게 된다. 이때 첫 악구가 제1박의 반박에서 시작한다면, 의심의 여지 없이 악구의 끝음, 즉 다음 마디 첫음에 악센트를 주면 안 된다.

〈예-144〉

3박자에서 제2박이 1음 1박이고 앞음의 반복일 때, 그 음에 악센트를 준다. 이 음은 거의 당김음의 역할을 대신한다. 다음 〈예-145〉에서 제1마디의 2번째 A와 제3마디의 2번째 G에 망설이지 말고 악센트를 주어야 한다. 비록 이 음이 단음절이더라도 악센트가 부가되어야 한다.

〈예-145〉 리듬단편 분석 (모차르트, 피아노 소나타 12번)

또한 박이나 분박에서 제3박이 1음 1박으로 반복될 때 악센트가 붙는다.

〈예-146〉 마이어베어Meyerbeer, 오페라 아프리카의 여인

6. 음들의 연속이 끊길 때, 특히 그러한 끊김이 마디나 박의 2번째 음에서 일어날 경우, 리듬단편이 형성된다. 즉, 일련의 순차 진행 뒤에 큰 폭으로 도약한 음은 새로운 리듬단편의 첫음으로 간주되어 악센트를 받는다.

한편, 빠른 곡에서 음의 연속이 끊긴다는 이유로 리듬단편을 만들지 않아야 한다. 리듬단편이 빠른 곡의 자연스러운 흐름을 끊는 중단 효과를 낳기 때문이다. 빠른 곡은 박절 악센트가 주도적이어야 한다. 베버의 〈무도회의 권유〉에서 이런 부분을 찾을 수 있다.

〈예-149〉 베버, 무도회의 권유

위의 예시를 다음과 같이 연주한다면 상당히 불쾌할 것이다.

〈예-150〉 잘못된 리듬단편 분석

다음 예시도 이러한 규칙에 따라 연주되어야 한다.

〈예-151〉 베토벤, 유령 왈츠Geisterwalzer, Anh.14-4

〈예-151〉에서 악구 악센트는 항상 박절 악센트와 일치하여 마디의 첫 음에 와야 한다. 단, 제4마디만 예외이다. 제4마디에서 화음 F♯·A는 마디 첫음은 아니지만 관용적인 코데타 역할을 하는 3도 화음 시퀀스의 시작이므로 악센트가 붙어야 한다.[52] 〈예-151〉에서 마디 첫음은 생략될 수 있고, 제2악구도 제1악구처럼 시작할 수 있다. 이런 종류의 빠른 곡에서 마디 첫음이 이전 마디 끝음과 순차 진행하고 그다음 음이 도약한다는 핑계로, 리듬단편을 만들어 끊으면 우스꽝스러워진다. 만약 그렇게 연주한다면 정말 최악일 것이다.

---

52) 바니스터Banister의 *Music*, 205~214쪽을 참고하라.

〈예-152〉 잘못된 리듬단편 분석

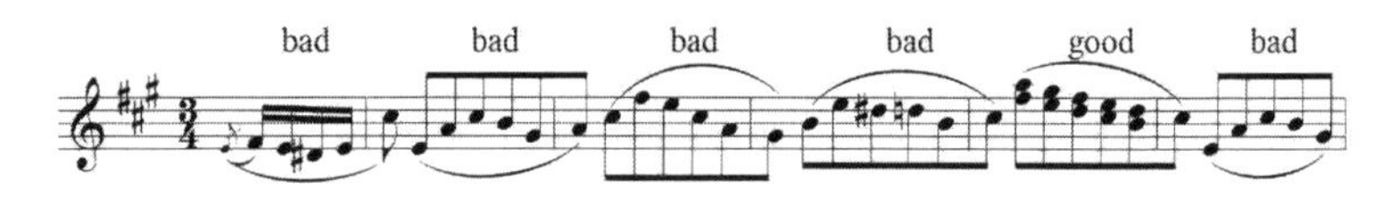

게다가, 끊어진 시퀀스 다음에서 리듬단편을 만들 때, 선행하는 패시지 또한 고려해야 한다.

〈예-153〉 모차르트, 돈 지오반니, Batti batti.

위의 예시에서 제3마디의 C는 도약진행한 음이지만, 악센트가 붙지 않아야 한다. 왜냐하면 C는 제1악구에 부속된pendant[53] 제2악구에 속하는 음이기 때문이다. 제1마디 첫음이 리듬단편을 형성하지 않는 바와 같이, 제2악구에 새로운 리듬단편이 필요하지 않다. 악구를 마칠 때까지 끊김이 발생하지 않는다면, 리듬단편을 만들어서는 안 된다.

〈예-154〉

53) [역주] pendant는 장식적으로 늘어뜨린 모양이나 형태, 기구 등을 뜻하는데, 음악에서는 어떤 주제나 선율에 따르는 부수적·보조적 선율을 의미한다.

〈예-154〉에서 도약 진행이라는 이유로 * 표시한 제3마디의 B, 제4마디와 제7마디의 F#에 악센트를 주는 것은 불합리하다.

7. 다음 5가지 경우, 짧은 음들로 구성된 그룹에서 이어지는 첫음 다음에 리듬단편을 만들어야 한다. (1) 뒤따르는 음과 동음일 경우, (2) 뒤따르는 음이 음가가 길 경우, (3) 뒤따르는 음과 음가가 같을 경우, (4) 뒤에 넓은 도약 음정이 오는 경우, (5) 뒤에 화음이 오는 경우.

〈예-155〉 베토벤, 비창 소나타, 1악장 Grave, Op. 13

귀에 휴식감을 주기 위해서는 악구의 끝음이 박이나 분박의 시작에 와야 함을 앞의 104~105쪽에서 살펴보았다. 짧은 음들의 그룹은 항상 박이나 분박의 시작 부분이나 더 긴 음에서 끝나는 경향이 있다. 따라서 16분음표로 구성된 그룹 다음에 오는 8분음표, 또는 32분음표 그룹 다음에 오는 16분음표는 일시적 중지를 함축하며 리듬단편을 맺어준다.

〈예-156〉 모차르트, 피아노 소나타 11번, 1악장 Var. 5

긴 음으로 끝내고 싶은 욕구는 너무 강렬하여, (특히 그룹의 마지막 음이 제7음, 즉 이끈음이고, 해결이 필요할 경우) 심지어 장식음이나 꾸밈음조차 종종 선율의 음으로 끝나며 그것의 의미를 잃게 된다.[54]

8. 모방, 에코, 또는 충전[padding] 역할을 하는 생략 가능한 별도의 음그룹에서

〈예-159〉 모차르트

54) 아셔[J.Ascher]의 《라 트라비아타》 〈판타지아〉, 그리고 프루뎅[E.Prudent]의 《일 트로바토레》 〈미제레레[Miserere]〉를 참고하라.

〈예-160〉 모차르트

9. 코데타 앞에서

〈예-161〉 모차르트

〈예-162〉 모차르트, 피아노 소나타 11번, 1악장 Var. 5

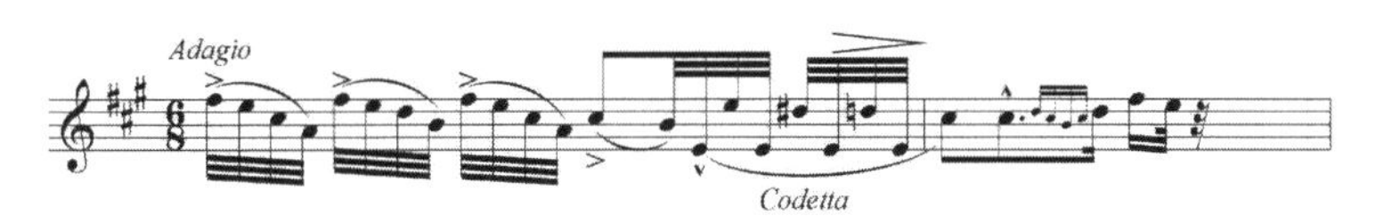

위의 두 예시에서 코데타가 해결되며 다음 마디 첫음에서 코데타 악구가 끝나는 점은 주목할 만하다. 생략[ellipsis]으로도 해석될 수 있는, 코데타의 이 마지막 음은 악센트 없이 다음 음으로 이동한다.

10. 악구의 끝에서 음가가 같고 순차진행으로 상·하행하는 음들은 분리하여 연주해야 한다.

〈예-163〉 모차르트, 피아노 소나타 6번, 1악장, K. 284

11. 때때로 제1악구에 리듬단편이 있고 제2악구가 제1악구와 유사한 구조라면, 제2악구에도 제1악구와 같은 위치에서 리듬단편이 만들어진다.

---

55) 비창 소나타, 2악장 마지막 마디도 참고하라.

〈예-167〉

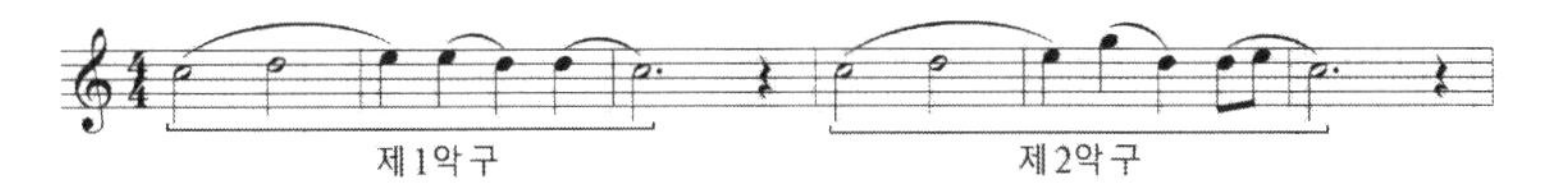

위의 예시에서 제1악구 제2마디의 2번째 E는 첫음의 반복이므로 리듬단편을 형성한다. 제1악구와 형태가 거의 유사한 제2악구는 앞 악구의 영향을 받아, 제5마디의 G와 그 뒤의 D가 또한 리듬단편을 이룬다. 만약 제1악구가 없었다면, 제2악구는 다음과 같이 프레이징 될 것이다.

〈예-168〉

〈예-169〉 쇼팽, 왈츠, Op. 34, No. 2

〈예-169〉에서 제1마디의 A에 오는 악센트는 제3마디 B에도 (이 악구가 강박에서 시작함에도 불구하고) 유사한 악센트를 유도한다. 다음 예도 마찬가지다.

〈예-170〉 베토벤, 비창 소나타, 2악장, Op. 13

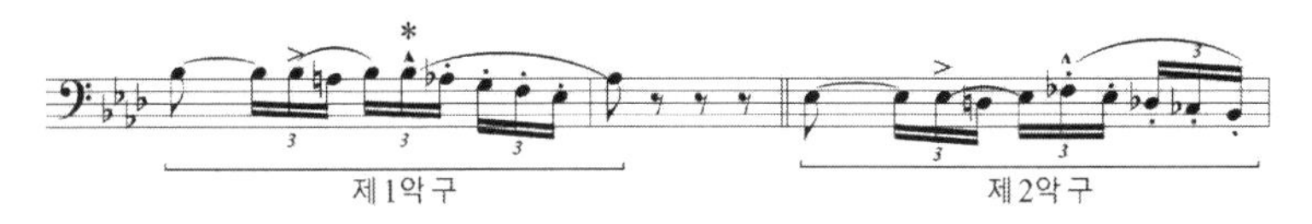

* 표시한 제1악구의 마지막 B♭은 (비록 이 음이 셋잇단음표의 2번째 음일지라도) 리듬단편의 첫음으로서 악센트가 붙는다. 우연히 이 음이 바로 앞 리듬단편의 끝음과 같은 음가의 동음 반복이기 때문이다. 다음 악구의 F♭도 리듬단편의 첫음으로 악센트가 붙는다. 이는 뒷 악구가 앞 악구와 같은 형태이고, 이 F♭이 반음계적 해결(E♭-D♮-E♭) 뒤에 이어지는 그룹의 최고음이기 때문이다. 또한 F♭이 단음계에 속하기 때문이기도 하다.

12. 반음계적 패시지에서 리듬단편이 만들어지며, 그다음엔 그 위로 온음정이 이어진다(F♯-G, A♯-B, C♯-D 등).[56]

〈예-171〉

13. 불협화음이 해결된 다음에서 [57]

〈예-172〉

56) 베버의 폴로네즈를 참고하라.

57) 베버의 〈무도회의 권유〉 서주를 참고하라.

〈예-173〉

불협화음이 강박에서 해결이 되더라도, 리듬단편 끝음은 항상 부드러워야 한다. 즉, 리듬단편의 끝음조차도 마디의 악센트를 무너뜨리며, 박절 규칙에 따라 큰 소리이어야 하는 음을 약하게 만든다.

14. 3도, 6도, 8도 시퀀스처럼 2성부 이상으로 진행하는 패시지 다음에 단성부 진행이 올 경우, 또는 그 반대의 경우

〈예-174〉

〈예-175〉

거장 작곡가들이 리듬단편을 가장 잘 활용하는 사례가 바로 이런 경우이다. 리듬단편에 관한 절대적인 법칙은 없다고 이미 말한 바 있다. 빠른 곡에서는 리듬단편을 만들면 안 된다. 빠른 곡의 악센트는 주로 각 마

디·박·악구의 첫음에 붙기 때문이다. 빠른 곡은 어떤 부분들을 제자리에 자연스럽게 두지 않고 잘라서 끊어 울퉁불퉁하게 하기보다는 차라리 리듬 단편을 만들지 않는 편이 더 낫다.

여기에서도 다른 모든 것과 마찬가지로 음악적 느낌이 근본 지침이 되어야 한다. 철저하고 지적인 연습은 음악가의 미감을 배양시켜 그가 (어떤 규칙으로도 예측하고 규정할 수 없는) 리듬단편을 직관적으로 찾아내게 할 것이다. 더욱이, 리듬단편이나 소그룹의 마지막 음이 귀에 어떤 종류의 휴식감을 준다는 점을 살펴보았다. 그러므로 귀에 휴식감을 주는 모든 음은 적어도 리듬단편의 끝음이라고 볼 수 있다.

이제 구조적으로 가능해 보이지만 리듬단편이 형성되지 않는 패시지, 또는 리듬단편이 적절한 곳에서 만들어지지 않는 패시지의 예를 들어보겠다. 비창 소나타, 1악장 Allegro 전개부에서 다음 왼손 선율은 두 번째 방식으로 프레이징 될 때 더 효과가 좋다.

〈예-176〉 베토벤, 비창 소나타, 1악장 Allegro molto e con birio, Op. 13

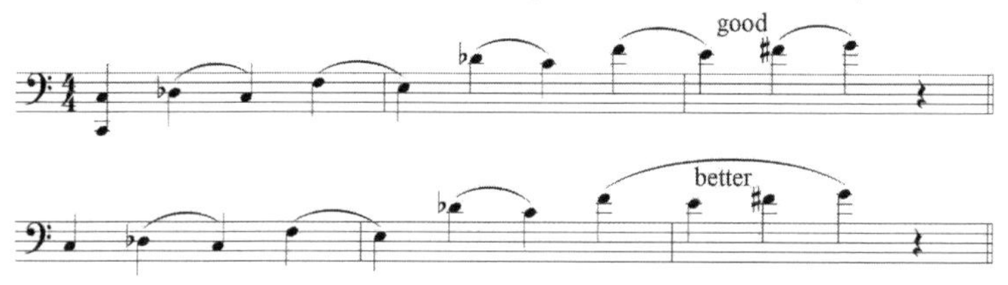

위의 연주 해석은 정확해 보인다. 이 해석은 반음 아래로 해결되는 상행 진행의 일련의 유사한 그룹들을 분리하기 때문이다. 마지막 두 음은 예외인데, 아마도 두 번째 해석이 더 나을 것이다.

이런 악구에서 부속악구pendant를 의미하는 이음줄은 대체로 올바르게 기보된다. 그러나 다음은 잘못 표기된 사례를 보여준다.

위의 패시지를 〈예-176〉처럼 다룬다면 매우 불합리하다. 사실, 위의 두 악구는 서로 다른 2개의 음그룹으로 구성되어 있고, 제2악구는 단지 제1악구보다 옥타브 더 높을 뿐 양자는 동일하다. 악구를 이루는 이 4개의 음은 유사한 리듬단편으로 축소될 수 없다. 첫음은 순차 하행하지만, 3번째 음은 도약 상행한다. 그리고 같은 형태가 다음 악구에서 반복되며, 처음과 다르게 끝난다.

아셔의 《라 트라비아타》, 〈판타지아〉에서 다음 패시지를 찾을 수 있다.

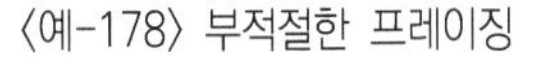
〈예-178〉 부적절한 프레이징

위의 작곡가는 제2마디와 제3마디의 높은 F가 강한 악센트를 받는 큰 소리라고 느꼈기 때문에, 그 아래 크레센도를 표기했다. 그러나 그는 F가 리듬단편의 첫음이라는 점과, 그렇기에 악구 악센트가 붙는다는 점을 알지 못했다. 이 크레센도는 연주자에게 그 음을 세게 치라고만 지시할 뿐, 왜 그렇게 연주해야 하는지에 대한 이유를 설명하지 못한다. 위의 예는 다음과 같이 쓰였다면 좋았을 것이다.

〈예-179〉 바람직한 프레이징

위와 같이 리듬단편이 정확히 표시되면, 연주자는 자신의 연주가 음악적으로 무엇을 의미하는지 잘 이해할 수 있다. 의심의 여지 없이, 제2마디 첫음인 2분음표 F가 귀에 약간의 휴식감을 줄 것이고, 제3마디의 D와 제4마디의 C도 유사한 휴식감을 줄 것이다.

위의 예는 작곡가의 악센트 붙임과 프레이징을 맹목적으로 신뢰해서는 안 된다는 점을 보여준다. 왜냐하면 작곡가들은 그들을 이끌어 줄 바람직한 원칙이 없을 시에, 때때로 자신의 느낌을 표현하기 위해 가장 이상한 기보 방식에 의존하기 때문이다.

이 장을 마무리하기 위해 이제 잘 알려진 작곡가들의 잘못된 악센트 붙임과 잘못된 프레이징의 예를 제시할 것이다. 이 열거가 여러분이 악구 해석에 대해 특별한 관심과 연구를 갖도록 유도하고, 우리가 유령과 싸우는 게 아님을 증명할 거라 믿는다. 여러분은 곡의 페이지마다 드러나는 부주의와 실수에 놀랄 것이다. 작곡가가 알아야 할 가장 중요한 사항인 구두점, 프레이징, 표현의 요소를 결국 그들이 가장 소홀히 여겨왔다는 점을 정확히 알게 될 것이다.

르페부르-웨리Léfébure-Wély의 〈양치기의 종Clochette du Pâtre〉에서 다음과 같은 악구 악센트를 찾을 수 있다.

〈예-180〉 잘못된 프레이징 (르페부르-웨리, 양치기의 종)

위와 같은 프레이징은 의도적인 걸까 아니면 단지 우연히 그렇게 된 걸까? 이는 확실히 다음과 같이 프레이징 되어야 훨씬 더 합리적이다.

〈예-181〉 바람직한 프레이징 해석

베버의 〈무도회의 권유〉만큼 프레이징하기에 쉬운 작품은 없을 것이지만, 그럼에도 악구 지시에 있어 결함 없는 판본은 거의 없다.

다음은 하모니움을 위한 가장 유명한 최고 연습곡집에서 위험을 무릅쓰고 한 부분을 골라낸 것이다.

〈예-182〉 잘못된 프레이징 (프랑스 노래, 1738)

이 예시는 다음과 같이 프레이징 되어야 옳다.

〈예-183〉 바람직한 프레이징 해석

모차르트의 《마술 피리》를 피아노로 편곡한 레이바흐Leybach의 〈판타지아〉(Op. 79)에서, 레이바흐는 음악적 의미에 대한 아무런 주의도 없이 마디에 따라 그룹을 나누고 악센트를 완전히 바꿈으로써 귀를 고문한다.

〈예-184〉 잘못된 프레이징 (레이바흐, 판타지아)

이 패시지는 다음 두 가지 방식 중 하나로 프레이징 될 수 있다.

〈예-185〉 바람직한 프레이징 두 가지

다음 예시는 매우 존경받는 바이올린 연습곡집에서 가져온 것이다. * 표시된 곳이 특히 잘못된 프레이징이다.

〈예-186〉 잘못된 프레이징

〈예-187〉 잘못된 프레이징

믿을 수 없을 만큼 놀라운 일이지만, 성악곡에서 찾게 되는 불합리함에 비하면 위의 예시들은 아무것도 아니다. 어떤 노래나 로망스를 택해 세밀하게 분석해 보면, 작곡가들이 대체로 표현 기호와 박자 변화에는 관심을 기울이고 있지만, 음악적 통일성, 악센트 붙임, 악구, 리듬단편에 대해서는 전혀 관심이 없다는 사실에 놀라게 된다. 악구는 거의 항상 끊기고, 프레이징 연결이나 이음줄은 두 개의 서로 다른 악구와 겹쳐 한 악구의 끝음과 다른 악구의 첫음이 부딪힌다. 프레이징 곡선은 감정의 통일성 없이 위험하게 흩어져 있고, 음들의 관련성에 대한 느낌도 없으며, 가사나 라인의 합리적 일치도 없다.

프레이징의 정확성은 전적으로 악구 악센트에 달려있다. 구두점이 없거나 잘못된 글이 눈을 어지럽히듯, 부정확한 프레이징이 귀를 혼란스럽게 한다. 아무런 음악적 의미가 없는 이음줄을 왜 사용하는가? 연주자가 악구 법칙에 따라 느끼고 연주할 것으로 생각하는가? 비록 그것들이 아무런 의미가 없더라도, 그러한 프레이징은 무지한 연주자를 길 잃게 만들고, 능숙한 연주자의 정서를 오염시킬 것이다. 인쇄상의 실수라면 왜 수정하지 않는가? 단지 부드러운 연주를 의도한 것이라면, *Legato* 라는 단어를 써넣는 것으로 충분하다. 만약 숨을 쉬거나 손을 올리라는 표시로 그런 곡선을 넣은 거라면, 대단히 큰 착각을 한 것이다.

작곡가들은 종종 자기 작품을 연주자가 잘못 연주한다고 불평한다. 그러나 작곡가 자신이 자기 작품을 그렇게 불완전하게 표기하는데 연주가가 어떻게 잘 연주할 수 있겠는가? 작곡가가 이처럼 악구를 숨기려고 애쓰는데 연주자에게 만약 악구 감각이 없다면, 어떻게 연주자가 각 악구와 리듬단편의 첫음에 악센트를 줄 수 있을까? 연주자는 악보에 따라 악센트를 붙일 것이다. 즉, 악보의 지시대로 무턱대고 되는대로 연주함으로써 프레이징을 망치며 악구를 파괴할 것이다. 결국 연주자는 작품의 시적 생명을 빼앗아 이해할 수 없는 음악으로 만들 것이다.

이러한 관행의 또 다른 문제점은 연주를 쉽게 만드는 대신, 특히 잘 훈련된 학생에게 있어 연주를 불가능하게 만든다는 점이다. 학생은 악보를 믿고 적힌 대로 연주하고자 하지만, 그의 느낌을 해치지 않고 그러한 무의미한 소리와 공허한 악구를 수용하기란 불가능하다. 결국 그는 악보의 지시를 제쳐두고, 자기 감각에 따라 연주할 것이다. 예를 들어, 부르크뮐러의 왈츠 〈유대인 방랑자〉를 골라 비슷한 실력의 학생들이 연주하는 것을 각각 들어보아라. 악구 감각이 있는 학생이라면 악보의 지시대로 연주하기 어려울 것이고, 반면 악구 감각이 없는 학생이라면 곧바로 연주할 것이다. 그러나 여러분이 악구를 자발적이고 자연스럽게 다시 연결하고 악구 법칙에 따라 적합한 악센트를 붙이면, 마치 마법처럼 연주의 어려움이 사라질 것이다.

라비나의 〈하바네라스Havaneras〉, 마지막 페이지 시작과 끝부분에 유사한 패시지가 있다.

〈예-188〉 부주의한 프레이징 (라비나, 하바네라스)

음악적 개념과 사고, 그리고 리듬단편과 악구를 형성하는 음들만이 이음줄로 연결되어야 한다. 그것이 악구 규칙으로 확립되어야 한다. 이음줄은 결코 서로 다른 두 악구에 속하는 음들 위에 놓여서는 안 된다. 또한 한 악구의 끝음과 다른 악구의 첫음이 겹쳐서도 안 된다. 작곡가가 악구나 호흡 위치를 나타내기 위해 사용하는 구두점, 쉼표, 콤마, 콜론 등의 기호는 위에서 언급한 악구 법칙에 따라 표기되어야 한다. 즉, 그것은 단지 일시적 기분에 의한 것이 아니라, 음악적 의미를 지닌 그룹으로 묶을 수 있는 음들의 끌어당김과 관계에 따라 표기되어야 한다.

이 챕터는 사실 너무 길어졌지만, 올바르고 지적이며 명확한 연주를 원한다면, 악구뿐만 아니라 반드시 리듬단편에 대해서도 철저한 지식을 갖추어야 한다. 그러나 그 중요성에도 불구하고, 우리가 아는 한 어느 작곡가도 이 문제에 관심 두지 않았다.

8. 기악곡의 악구 분석[58)]

기악곡에서 악구 악센트를 찾는 큰 어려움 중 하나는 어떤 음이 선행악구의 끝음인지 아니면 후행악구의 첫음인지를 판별하는 것이다. 선행악구의 끝음이라면 악센트 없이 여리게 연주해야 하며 그다음 쉼이 뒤따라야 하고, 후행악구의 첫음이라면 악센트를 주어야 한다. 다음은 이를 판별하기 전에 고려해야 할 4가지 주요 사항이다.

1. 해당음이 (종지에 필수적이든 아니든) 귀에 주는 휴식감.

2. 두 악구의 유사성과 구조적 대칭성.

아마도 후행악구는 선행악구와 같은 박에서 시작될 가능성이 높다. 예를 들어, 선행악구가 2번째 박의 1/2에서 시작하면, 후행악구도 같은 박에서 시작할 것이다. 그러나 이는 절대적이지 않으며, 많은 예외가 따른다.

3. 화음과 반주.

일반적으로 악구의 끝음은 반드시 반주 화음에 속하는 화성음이 온다.

4. 악구 끝에서 규칙적인 길이로 등장하는 긴 음 또는 쉼표.

특히 그 쉼표가 일반적이든 특별하든 악구와 리듬단편이 끝나는 부분에 위치할 경우, 그 쉼표 앞의 음이 악구의 끝음인 것이 거의 확실하다. 그러나 이를 절대적으로 수용해도 안 된다. 앞의 94쪽에서 설명했듯, 전위된 악구에서는 쉼표가 악구의 끝음 '앞에' 올 수도 있다. 종종 작곡가들은 악구의 끝음을 부주의하게 적어 넣는다. 그들은 악구 끝음 뒤에 쉼표를 넣는 대신 그 끝음으로 마디 전체를 꽉 채운다.

---

58) 루시의 *Le Rhythme Musicale*, 27쪽을 참고하라.

다음은 악구 끝음이 잘못 기보된 사례이다.

〈예-189〉 잘못 기보된 악구 끝음

위의 예시에서 제2마디의 F♯과 제4마디의 G는 마디를 꽉 채우는 2분음표 대신, 다음과 같이 쉼표가 뒤따르는 4분음표 또는 점4분음표로 적어야 한다.[59]

〈예-190〉 바람직한 악구 끝처리

악구에 대한 감각이나 지식이 없을 때, 이 단순한 사실, 즉 긴 음이나 쉼표의 규칙적 반복이 올바른 프레이징에 큰 도움을 준다. 물론, 그 악구가 스타카토 패시지라면, 모든 쉼표는 리듬단편의 분리를 뜻한다.

악구 끝음에 관한 이 4가지 규칙과 앞의 "6. 기악곡의 악구 법칙"에서 언급한 규칙을 총명하게 적용하면, 이제 누구나 악구 끝음을 찾아 음들의 관련성에 따라 악센트를 붙이고 프레이징할 수 있게 될 것이다. 그러나 이 경우에도 우리는 올바른 감각과 논리에 따라 인도되어야 하며, 개별음보다는 음들이 그룹과 부분을 형성하는 전체 관계에 집중해야 한다. 다시

59) 이 책의 110쪽, 〈예-123〉을 참고하라.

말해, 선행악구와 후행악구의 관계, 화음과 반주, 특히 귀에 주는 휴식감 등의 전체 맥락에 주의해야 한다.

악구에 대한 이러한 설명으로 인해 지금까지 완전히 무시되었던 중요한 사실들에 음악가들이 관심을 가지게 되면 좋겠다. 연습과 관찰은 훌륭한 연주 해석의 모든 비밀을 알려주며, 모든 어려움을 극복할 수 있도록 이끌 것이다. 다음 예시들은 악구 규칙들의 적용 방법을 보여준다.

피아니스트가 아무런 표현 기호도 없는 다음과 같은 왈츠의 수많은 판본 중 하나를 만난다고 가정해 보자.60)

〈예-191〉 슈베르트, 왈츠, Op. 9, No. 2

가장 먼저 물어야 할 점은 * 표시한 제2마디 2번째 F와 제4마디 2번째 G가 어느 악구에 속하는가이다.

질문자를 안내해 줄 원리는 다음과 같다. 분명히 선행악구는 강박이 아닌 제2박의 1/2에서 시작한다. 그렇기에 아마 후행악구도 유사성 원칙에 따라 같은 위치에서 시작할 것이다. 게다가 제2마디의 첫음 G와 제4마디의 첫음 A는 비화성음이기에, 같은 마디의 F와 G를 각각 차례로 지연시킨다. 따라서 위의 패시지는 다음과 같이 악센트를 주어야 한다.

60) 종종 베토벤의 곡으로 여겨지는 이 곡은 실은 슈베르트 왈츠 중 하나이다.

〈예-192〉 좋은 프레이징과 악센트 (슈베르트)

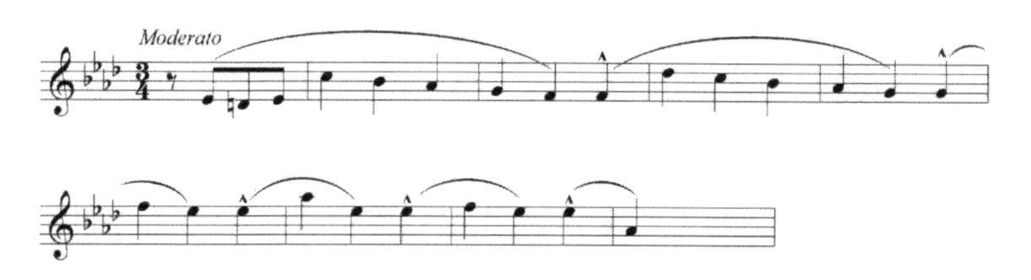

제2마디의 제3박 F와 제4마디의 제3박 G에 정당한 힘을 줄 수 있는 이러한 악센트 붙임을 선호하는 이유는 그 음들이 반복음이기 때문이다.61)

〈예-193〉 좋지 않은 프레이징과 악센트 (슈베르트)

유사성 원칙만으로 악구 끝음을 찾기 어려울 때, 또 다른 원칙으로 화음의 원칙이 요구된다.

〈예-194〉 좋지 않은 악구 분석

61) 이 책의 119쪽, 리듬단편 규칙 제4번을 참고하라.

위의 예시에서 * 표시한 제4마디의 F와 마지막 마디의 G는 선행악구에 속할까, 아니면 위의 악구 분석과 같이 후행악구에 속할까? 이 두 음은 악센트를 받을까, 받지 않을까? 이 질문에 답하기 위해서는 우선 제4마디의 첫음 G가 종지 기능이 부족하여 뒤따르는 F가 종지음으로 필요한지 알아내야 한다. F는 G를 반주하는 딸림7화음의 일부이고, G와 F 모두 딸림7화음의 구성음이다. 그런데 이 G를 으뜸화음(C·E·G)으로 반주한다면, 그다음 F는 으뜸화음에 속하지 않으므로 화음을 바꿔야 한다. 그러나 앞의 세 마디에서 1마디에 1개의 화음이 사용되었기에, 제4마디에서도 하나의 화음이 쓰일 것으로 추정된다. 게다가 이 곡의 반주는 규칙적으로 교대되는데, 처음 세 마디는 으뜸화음, 그다음 한 마디는 딸림7화음, 그리고 또 다음 세 마디는 딸림7화음, 그다음 한 마디는 으뜸화음이 출현한다. 따라서 제4마디 F는 약한 악구의 끝음으로 간주해야 한다.

이 F는 악센트가 붙지 않고 뒤에 짧은 쉼이 따르며, 앞의 G와 연결된다. 약한 악구의 끝에서 2번째 음인 G에는 악센트가 붙는다. + 표시한 제4마디의 G와 제8마디의 F는 다음 예시와 같이 생략될 수 있다. 이 두 음은 리듬적인 계류음이다. 즉, 귀가 듣고자 욕망하는 종지음을 지연시키는 장애물로서, 악센트를 전부 흡수한다.

〈예-195〉 화성에 근거한 바람직한 악구 분석 (예-194)

위의 예시에서 비록 선행악구의 첫음은 약박이지만, 후행악구의 첫음은 강박이다.

이러한 분석을 리듬단편에 적용해도 답은 쉽다. 만약 첫 리듬단편과 마찬가지로 다음 리듬단편도 제3박에서 시작할 거로 생각하고, 〈예-196〉과 같이 * 표시한 제2마디의 C와 제6마디의 D 다음에서 리듬단편을 끊는다면, 이는 좋지 않다. 이런 식으로 리듬단편을 분리하면 처음 세 마디 내내 지속된 으뜸화음에 의한 악구 연속성이 방해받고, 이런 종류의 춤곡에 필수적인 박절 악센트가 파괴되며, 곡의 전반적 특성이 망가진다. 즉, 다음과 같이 연주하면 매우 좋지 않다.

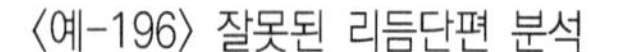
〈예-196〉 잘못된 리듬단편 분석

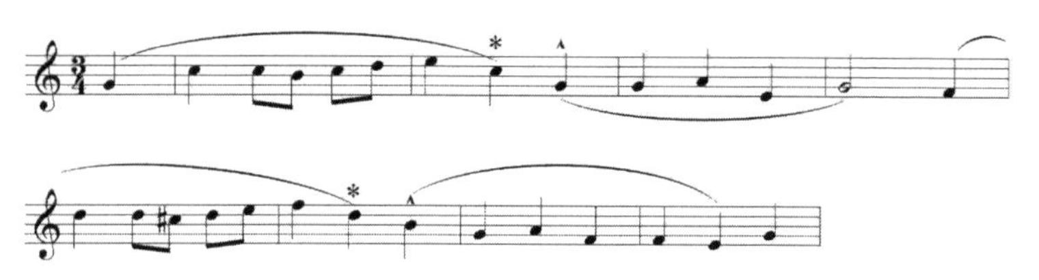

다음은 가사를 뺀 노래 선율인데, 가사 없이는 * 표시한 음이 선행악구인지, 후행악구인지 판별하기 어렵다.

〈예-197〉 가사 없이 추론 가능한 분석 (보옐디외Boieldieu, 빨간 망토Le Chaperon rouge)

첫인상에서 연주자는 이렇게 추론할 것이다. "처음 두 마디는 강한 악구이고, 다음 악구는 끝에 C(*)가 첨가된 에코로서 첫 악구의 반복이다. 그런데 제5마디에서 첫음 E가 반복되기에 악센트가 붙는다. 그래서 이 E를 이전 마디의 C와 연결해야겠다. 그러면 2번째 악구도 첫박에서 끝나는 강한 악구가 된다. 즉, 이 8분음표 C(*)가 3번째 악구의 첫음으로서, 악센트를 받으며 다음 마디 첫 E와 리듬단편을 이룬다."

〈예-198〉 앞 예시의 3번째 악구의 리듬단편 분석

제8마디의 2번째 G(*)도 비슷한 종류의 어려움이 생긴다. 이 음을 다음 악구의 시작음으로 간주하면, 그 악구는 더욱 큰 추진력과 힘을 얻는다. 더욱이 이러한 악센트 붙임은 제17마디와 21마디의 D에 의해 정당화된다. 이처럼 * 표시한 제4마디의 C와 제8마디의 G가 악구 첫음이라면 그 두 음은 악센트를 받게 되고, 전악구의 끝음이 된 그 앞의 음은 짧은 쉼으로 인해 힘과 음가를 조금 잃게 된다. 반대로, * 표시한 두 음이 전악구의 끝음이라면 악센트가 붙지 않고 그다음에 짧은 쉼이 뒤따르지만, 그 앞의 음은 강한 악센트가 부가된다. 위의 설명은 경험이 풍부한 예술가의 합리적인 견해이다.

이제, 앞의 〈예-197〉에 가사를 넣으면, 연주자가 큰 실수를 범한 것은 아니지만, 그의 위와 같은 악센트 붙임은 다음 예시와 같이 가사가 요구하는 악구 나눔과 일치하지 않는다.

〈예-197-1〉 가사와 일치하는 바른 악구 나눔 [62]

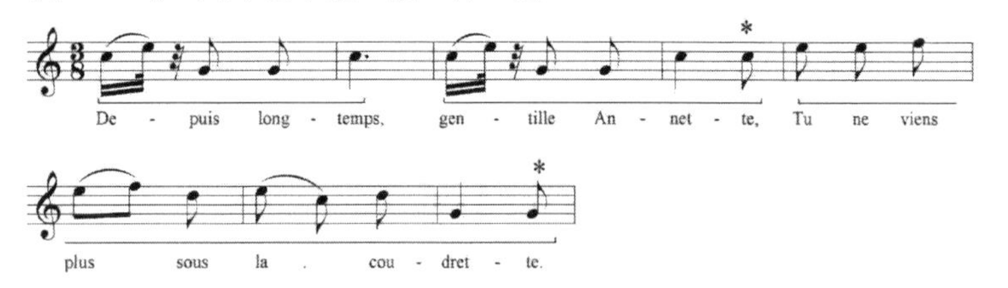

기악곡에 또 다른 부주의한 예가 있다. 다음은 디아벨리Diabelli의 소나티네 안단티노(Op. 50)에 레이바흐가 악센트를 붙인 악보이다.

〈예-199〉 좋지 않은 악구 분석

위와 같은 표현적인 악구에서는 제2마디 A를 시작음으로 하는 편이 더 낫다. 왜냐하면 그 음이 하행하는 시퀀스의 중심축 역할을 하기 때문이다. 따라서 다음과 같은 악센트 붙임이 더 낫다.

〈예-200〉 바람직한 악구와 악센트

위의 예는 어떤 음이 악구의 끝음인지 첫음인지 판별하는 게 얼마나 중

62) [역주] 이 보례가 저자(루시)가 제시한 본래 〈예-197〉이고, 앞의 〈예-197〉은 역자가 가사를 빼고 기악 악보로 제시한 것이다.

요한가를 여실히 보여준다. 어떤 한 음을 이렇게 해석하느냐 저렇게 해석하느냐에 따라 곡의 전체 구조와 성격이 변할 수도 있다. 예를 들어 다음과 같은 경우이다.

〈예-201〉 펠릭스 고데프로이드Felix Godefroid

위의 패시지에서는 * 표시한 제4마디의 E가 악구 첫음인지 끝음인지를 판별할 수 있는 요인이 전혀 없다. 만약 악구 끝음이라면, E는 부드러울 것이고 그다음에 짧은 쉼이 뒤따를 것이다. 반면 악구 첫음이라면 큰 소리일 것이고, 앞부분과 이질적인 형태로 대조를 이루는 순차 상행 악구에 강한 추동력을 줄 것이다. 이렇게 되면 이 E는 악구에 에너지와 충동, 생명력을 주는 힘으로 작용한다. 그러나 그 힘은 E의 박절적 또는 화성적 요인에 기인하지 않고, 오직 리듬악구적 성질에 기인한다. E가 없다면 이 악구는 더 차분하고 힘겹게 상승할 것이다. 그렇다면 이 E는 어느 악구에 속하는가? E가 바로 앞 G와 같은 화성이므로, 어떤 이는 E가 선행악구에 속한다고 생각할 수도 있다. 그러나 후행악구의 첫음이 약박(올림박)에 올 때, 그 음이 설령 불협화음을 이루더라도 앞의 음(선행악구)과 같은 화성에 속할 수 있음을 잊지 말아야 한다. 왜냐하면 귀는 화성의 계속적 변화보다 잠깐의 불협화음에 더 쉽게 익숙해지기 때문이다. 그리고 무엇보다, 우리가 음악에서 얻고자 하는 것이 대조와 다양성임을 기억해야 한다. 귀는 온화하고 조용한 악구 다음에 정열적이고 활동적인 악구가 이어지는 것을 열렬히 환영한다. 이 E가 후행악구에 그러한 성질을 부여하기에, 우리는 주저하지 말고 이 음을 후행악구의 첫음으로 분석해야 한다.

어떤 음이 악구 첫음인지 끝음인지에 따라 선율의 전체 성격이 바뀐다면, 한 음의 첨가와 생략에 의해서도 멋진 변화를 만들어 낼 수 있다. 모차르트의 A장조 피아노 소나타를 다시 예로 들겠다.

〈예-202〉 모차르트, 피아노 소나타 11번

이 선율은 강박에서 시작한다. 처음 두 마디가 박절 및 악구 구조, 화성 측면에서 각각 하나의 단위를 이룬다. 따라서 첫음은 박절 악센트와 악구 악센트를 동시에 지니는 음으로서 특별하게 계획되어야 한다. 모차르트는 첫음의 연장(부점 리듬)과 상행 선율형을 통해 첫음에 악센트의 힘을 강화한다. 이것이 첫 번째 C♯을 뒤따르며 돕는 2번째 C♯에 안정적인 악구 중심축으로서의 추가적인 힘을 부여한다. 즉, 위 선율의 기본 구조는 'C♯-E, B-D, A-B, C♯-B'이다.

처음 두 마디의 마지막 음은 3가지 이유로 인해 부드러워야 한다. 그것이 마디의 끝음이고, 앞에 긴 음이 선행하며, 약한 악구의 끝음이기 때문이다. 앞 마디의 부드러운 끝음이 그다음 마디 첫음의 악센트와 힘을 더 크게 끌어낼 것이다. 박절 악센트와 악구 악센트가 일치하므로 잘못된 악센트가 생길 수 없다. 이 선율에는 도약 음정, 반음계적 음, 또는 특수하게 긴 음이 없다. 1마디로 된 처음 두 악구는 각각 단일 화성으로 반주된다. 이 모든 점이 선율에 극도의 단순미, 평온, 자연스러움을 준다.

이제 모차르트의 이 선율에 베케를랭M.Wekerlin이 파울 페발Paul Féval의 가사를 붙여 〈그가 당신을 기억하나요? vous souvient-il?〉라는 제목으로 출판한 편곡된 악보를 살펴보자.

〈예-203〉 한 음의 추가로 완전히 달라진 악센트 (베케를랭 편곡)

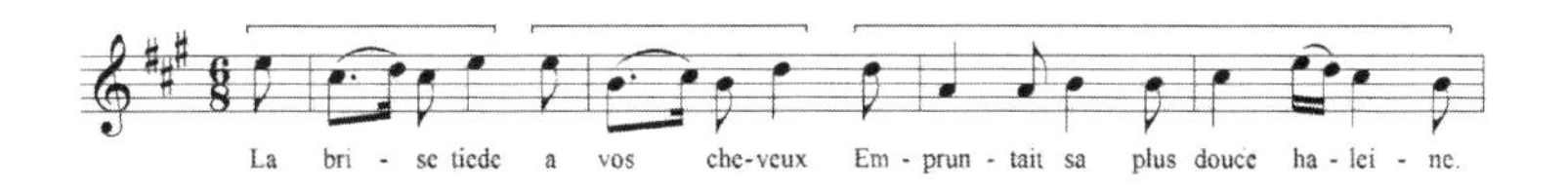

가장 먼저, 이 노래는 강박 시작 대신, 원곡의 주제와는 낯선 음으로 약박에서 시작한다. 이에 따라 박절 악센트와 악구 악센트의 일치가 사라졌다. 이 날카롭게 강조된 올림박의 첫음[63]이 즉각적으로 제1마디 첫음의 힘을 빼앗아 오며, 이에 따라 박절 악센트가 사라지고, 마디 첫음 C#은 힘을 잃게 된다. 가장 약한 음인 마디와 박의 마지막 음이 오히려 가장 강해진다. 제1악구가 약박에서 시작함으로써 제2악구도 자연스레 약박에서 시작하고, 그 결과 악구 첫음의 강세가 박절 악센트와 일치하지 않는 두 악구가 생겨난다. 더욱이, 악구가 두 마디를 겹치며, 화성이 불안해진다. 각 악구가 하나의 화음이 아닌 두 개의 화음으로 반주되며, 원곡의 안정성이 흔들린다. 결과적으로 원곡의 평온감, 단순미, 자연미는 모두 다

63) 이 책의 99쪽과 173쪽을 참고하라.

사라졌다. 베케를랭의 편곡이 선율의 표현성을 무한히 증폭시켰을지 모르지만, 그것은 더 이상 모차르트가 아니다.

이 소박하고 전원적인 선율을 실력 없는 음악가에게 준다면, 그는 분명 각 악구와 리듬단편의 첫음 악센트를 과장하여 강하고 감상적인 울림으로 연주할 것이다. 만약 그가 악구 첫음을 그다음 음과 묶어 박절 악센트가 사라질 정도로 악구 악센트를 과장하거나, 또는 그다음 음을 아주 조금 짧게 하거나, 상행 진행에 맞춰 제4마디 음들을 빠르게 연주한다면, 이 매력적이고 순수한 선율은 단지 패러디, 인위적인 멜로드라마의 아리아가 될 것이다! 이 모든 게 본래 모차르트의 음악적 아이디어에 단지 하나의 음을 추가함으로써 발생한 결과이다.

마찬가지로 단지 한 음을 생략함으로써 발생하는 처참한 결과도 상당하다. 〈스페인의 메아리Echos d'Espagne〉에서 가르시아Garcia가 편곡한 폴로 세레나데를 예로 들겠다.

〈예-204〉 본래 선율

쉼표로 인해 제2박에서 시작하는 위의 본래 악구는 당김음 효과를 내는 매력을 지니고 있다. 그런데 편집자에 의해 다음과 같이 시작의 한 음이 삭제되며 악구 첫음이 제3박으로 이동한다.

〈예-205〉 한 음의 생략으로 완전히 달라진 악센트

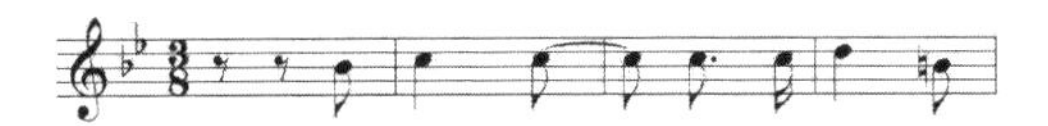

위와 같이 제3박의 첫음은 단지 출발점의 역할만 할 뿐 박절적으로 강하지 않으며, 악구의 관점에서 생략될 수 있다. 편집자는 시작의 한 음을 생략함으로써 원곡의 모든 아름다움을 확실히 파괴했다. 원곡에서 제1마디의 첫 쉼표가 음으로 대체되어도 같은 결과가 발생한다.

작곡가들은 때때로 악구의 종지음을 숨겨둔 채 억누른다. 베토벤의 비창 소나타, 3악장 론도의 〈예-206〉과 클레멘티의 소나티네 〈예-207〉의 두 예시를 들겠다.64)

〈예-206〉 종지음이 억압된 악구 (베토벤, 비창 소나타, 3악장)

〈예-207〉 종지음이 억압된 악구 (클레멘티, 소나티네)

---

64) 비창 소나타, 3악장 제40마디도 이와 같다.

위의 두 예시에서 왼손 베이스가 즉각 종지음을 짚어주지만, 듣는 이는 그럼에도 불구하고 놀라게 된다. 다른 때는 선율이 적절하게 마무리되지만, 반주가 강박이나 긴 음에서 해결되지 않고 계속되어, 다음 〈예-208〉과 같이 악구가 리듬적 긴장을 유지하며 끝맺지 못하기도 한다.

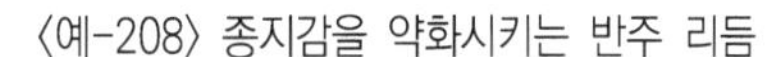
〈예-208〉 종지감을 약화시키는 반주 리듬

의심의 여지 없이, 만일 제4마디 베이스의 마지막 음들을 느려지지 않게 연주한다면, 제5마디 왼손의 G♭에서 해결되는 효과가 나타날 것이다. 그러므로 제4마디 A♭에 종지감을 주기 위해서는 제4마디 왼손 반주를 점점 느리게 연주하는 것이 중요하다. 이러한 연주에 귀가 더 만족할 것이다. 왜냐하면 악구 끝이 더 느려지고 쉼이 더 길어지면, 종지음이 처음 강박에 오지 않더라도 귀의 불안감이 줄어들기 때문이다.

마지막으로, 다성음악에서는 제1성부에서 악구가 끝나도 제2성부에서 악구가 계속될 수 있다.

9. 음악적 운율: 음악과 가사의 관계

앞서 악구의 길이가 곧 구절의 길이이고, 강한 구와 약한 구가 있듯 강한 악구와 약한 악구가 있다고 했다. 또한 음악의 다양한 종지 형태는 문법적 구두점의 다양한 기호에 해당한다. 구절과 악구 간의 유사성은 여기서 그치지 않는다. 단어에는 장음절과 단음절이 있고, 마디에는 강박과 약박이 있다. 구절은 일정한 질서에 따라 장음절과 단음절의 여러 음보로 구성되고, 악구도 강한 음과 약한 음이 규칙적으로 교대된다. 악구 구조는 정확히 구절의 "질quantities"에 해당한다. 사실, 골격과 틀의 측면에서, 악구와 구절의 유사성은 완벽하다. 일련의 구절은 일련의 리듬 또는 악구와 결합할 수 있고, 그 반대도 마찬가지다.

이 과정에서 분석해야만 하는 3가지 사항은 다음과 같다.

1. 장음절은 강박의 음과 일치하고, 단음절은 약박의 음과 일치한다.

즉, 장음절은 강박 또는 강한 분박 자리에 와야 하고, 단음절은 약박 또는 약한 분박 자리에 와야 한다. 아티큘레이션이 필요한 1음절 단어는 장음이어야 하고, 단 관사만 예외이다.[65]

2. 만일 1번 조건이 충족되지 않으면, 강한 구절이 약한 악구로 끝나거나 그 반대의 경우를 허용하는 규칙이나 조건을 준수해야 한다.

즉, 약한 음절이 악센트를 지닌 강한 음에 오면 그 앞에 연장된 음절(즉, 긴 음이나 여러 개의 음)이 와야 하고, 악센트가 없는 약한 음에 오는 강한 음절은 여러 개의 음에 의해 연장되어야 한다.[66]

---

65) 다음 규칙은 M. Victor Wilder에 의한 것이다. "묵음 *e*로 끝나지 않는 단어의 마지막 음절과 묵음 *e*로 끝나는 단어의 끝에서 2번째 음절은 길어야 한다."

3. 문법적 의미와 음악적 아이디어, 즉 문법적 구두점과 음악적 종지는 가능한 한 많이 일치해야 한다. 문법적 의미가 유보되면 종지가 불완전해지고, 문법적 의미가 완전하면 종지도 완전해진다. 하나의 문법적 구에 서로 다른 두 개의 악구가 겹치거나, 하나의 악구가 두 개의 문법적 구에 의해 둘로 잘리는 것보다 더 불합리한 것은 없다.

4. 구문의 운율 체계와 음악의 리듬 체계 간에 통일성과 일치성이 있어야 한다. 닥틸[dactyl]과 스폰디[spodee]로 구성된 구문의 박자는 2박자이어야 하고, 트로키[trochee] 운율은 3박자이어야 한다.[67]

이 규칙들은 중요한 관찰을 통해 얻은 것들이다. 마디에 의해 규정되는 강한 음과 약한 음 외에, 박의 분할로 인한 강한 음과 약한 음이 있다. 강박이 분할되는데 약박이 분할되지 않을 경우, 악센트는 약박 음에 붙는다. 2박자에서 제1박이 등시가의 2(♫), 3(3잇단 ♪♪♪), 4(♬♬) 음으로 분할되고 제2박이 분할 없는 온전한 1박이면, 제2박의 음이 강해진다.

---

66) 이 책의 91~92쪽의 전위 악구를 참고하라.

67) [역주] 6가지 리듬 모드

	리듬 모드	운율	음악
제1리듬형	트로키	장단	♩ ♪
제2리듬형	이암브	단장	♪♩
제3리듬형	닥틸	장-단장	♩. ♪♩
제4리듬형	아나페스트	단장장-	♪♩ ♩.
제5리듬형	스폰디	장-장-	♩. ♩.
제6리듬형	트리브라키스	단단단	♪♪♪

느린 템포의 2박자는 빠른 템포의 4박자와 같다. 느린 템포에서 와 같은 리듬형은 실제로 응축된 4박자이다. 2박자 에서 제2박의 4분음표는, 4박자 에서 제3~4박의 2분음표에 해당한다. 따라서 4박자에서 제3박에 악센트가 붙는 것처럼, 2박자 에서는 제2박에 악센트가 붙고 장음절이 온다. 같은 이치로, 3박자에서 제1박이 분할되면 제2박이 강박이 되고, 제2박이 분할되면 제3박이 강박이 된다.

이러한 리듬형에서 마지막 음에 단음절이 오면, 끝에서 2번째 음절이 길어져야 한다.68)

〈예-209〉

〈예-210〉

68) 루시의 *Rhythme Musicale*, 94쪽을 참고하라.

3박자에서 분할되지 않은 제3박이 반복음일 때 그 음에 악센트를 준다.69)

〈예-211〉

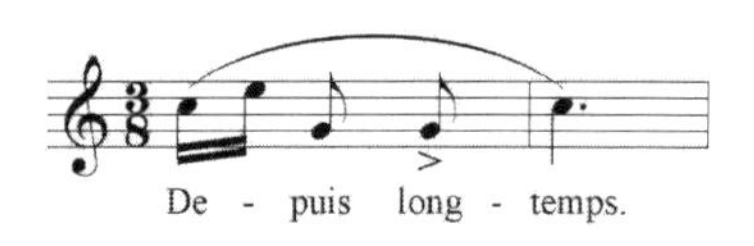

이제 이 규칙에 몇몇 악구를 대입해 보고, 그것이 운율 법칙에 맞는지 검토해 보자. 그레트리의 〈불타는 열기une fièvre brûlante〉부터 시작하자.

〈예-212〉 음악과 가사의 부조화 (그레트리)

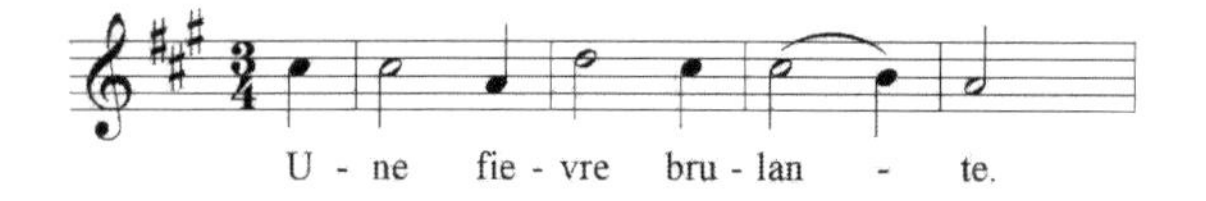

그토록 세련된 취향을 지닌 그레트리가 이러한 악구를 썼다는 것이 놀랍다. 첫 번째 단어 *une* 와 *fièvre* 가 각각 리듬단편을 형성하는데, 음절 *u* 가 리듬단편의 첫음이고, *ne* 가 끝음이다. 음절 *fiè* 는 2번째 리듬단편을 시작하고, *vre* 가 리듬단편을 끝낸다. 음절 *ne* 와 음절 *vre* 는 마디의 첫 박에 자연스럽게 떨어진다. 즉, 박절적으로 강박 음이지만, 단지 2음으로 구성된 짧은 리듬단편을 끝마치는 음이기 때문에, 악센트를 잃는다. 이 음들은 작고 부드럽게 노래하거나, 또는 그다음에 짧은 쉼을 둬야 한다. 2분음표 음가의 일부를 떼어내 실제로는 다음과 같이 연주한다.

---

69) 124쪽, 〈예-146〉을 참고하라.

〈예-213〉 앞 예시의 연주 해석

우리는 위 악구를 정당화하기 위해 최선을 다했지만, 여전히 만족스럽지 못하다. 사실, 첫 번째 리듬단편은 묘하게 복잡하다. 리듬단편의 끝음이 반복음, 즉 악센트가 붙는 음이기 때문이다.[70] 좋든 싫든 간에 2번째 C#은 악센트를 받아야 하고, 그렇기에 단음절은 자연적으로 잘못된 운율이다. 이 악구에 음악과 가사 간의 적절한 균형을 맞추려면, 다음 3가지 방법 중 하나를 택해야 한다. (1) 첫음을 바꾸어 반복음을 없애기, (2) 단음절을 장음절로 바꾸기, (3) 단음절을 1음절 단어monosyllable로 바꾸기.

〈예-214〉 음악과 가사의 운율을 맞춰 변화시킨 것

70) 이 책의 119쪽, 리듬단편 규칙 제4번을 참고하라.

이 악구가 오랫동안 아무런 문제 없이 받아들여졌다는 점이 믿기 어렵다. 이는 귀가 가장 거친 불협화음과 실수에 얼마나 쉽게 익숙해질 수 있는지를 보여준다. 리쇼[Richault]에 의한 슈베르트, 〈소녀의 비탄[des Mädchens Klage]〉의 프랑스어 판본 *Plaintes d'une jeune fille*의 첫 구절은 다음과 같이 문법적 의미와 음악적 의미가 일치하지 않는다.

〈예-215〉 음악과 가사의 부조화 (슈베르트 가곡의 프랑스 번안곡)

Schubert, des Mädchens Klage

위의 가곡에서 음악적 쉼은 8분음표의 C 다음이 아니라, * 표시한 B♮ 다음이 확실하다. C는 화성적으로 계류음이기에 비화성음의 불협음이며, 그다음 B♮에서 해결됨으로써 선행악구가 끝난다. 따라서 가사의 쉼도 음악과 일치하여 C가 아닌 B♮에서 끝나야 한다. 더욱이 프랑스어 번역 구문이 〈예-215〉와 같이 *L'orage en passant fait — gémir le feuillage.* 처럼 분리되면 가사의 의미가 상실된다. 프랑스어 번안곡은 독일어로 된 본래 가곡이 그러하듯 다음과 같이 노래 되어야 한다.

〈예-216〉 음악과 가사의 조화 (본래 독일어 가사)

위의 예시에서 2번째 C는 즉시 강한 악센트를 받는다. 그 음이 반복음이고, 악한 악구의 끝에서 2번째 음이며, 계류음이기 때문이다. 그러나 그 다음 B♮은 강세 없이 앞의 C와 매우 부드럽게 연결된다.

〈예-217〉 음악과 가사의 부조화

위의 예시에서 *Quand on me woit, l'on dit, Le Czar,* 사람들은 나를 보면 황제라고 말해요. 다음의 쉼표는 가사의 의미가 완결되었다는 인상을 분명하게 심어주기에, *Le Czar* 다음 *n'est pas plus heureux sur son trône.* 왕좌에서 더 행복하지 않은. 가 이어질 것을 기대하지 않게 만든다. 이처럼 음악과 가사의 부조화로 인해 음악가들이 언어적 의미를 희생하는 것이 안타깝다. 어느 존경받는 작곡가에 의한 또 다른 예 〈꿈 Un Rêve〉이 있다.

〈예-218〉 음악과 가사의 부조화

분명히 첫 번째 악구는 제2마디 F에서 끝난다. 그러나 엄밀히 말하면 그다음 E가 악구 끝음으로 간주될 수 있다. 하지만 3번째 악구의 제5마디에서 작곡가는 같은 F를 끝음으로 간주하는 듯하다. 만일 이 F가 첫 번째 악구의 끝음이라면, 제2행의 시작 단어 *que* 가 F에 오면 안 된다. 이 악구는 확실히 다음 셋 중의 하나로 수정되어야 한다.

〈예-219〉 음악과 가사를 조화시킨 수정안

성악곡에는 이러한 종류의 불합리한 운율이 많으며, 예를 들자면 한도 끝도 없다. 때때로 프랑스어와 라틴어가 기존 음악에 어떠한 지적인 고려

를 요구하는지 몇 가지 예를 더 들고자 한다.

〈예-220〉 폴란드의 메아리Echos de Pologne, No. 1 제비L'hirondelle

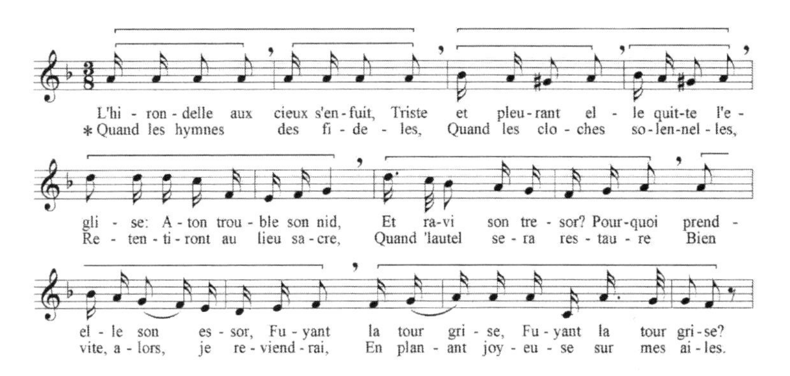

위의 예시는 악구와 리듬단편을 표시한 것이다. 가사 1행은 원곡의 가사인데 잘못되었다. 가사와 악구 및 리듬단편이 서로 맞지 않는다. * 표시한 가사 2행은 윌더M. Victor Wilder가 수정한 것으로, 가사와 음악이 일치하여 전체적으로 의미가 분명하며, 부르기도 쉽고 듣는 이도 만족스럽다.

〈예-221〉 잘못된 가사 붙임 (메르카단테Mercadante, 3성부 미사)

위의 예시에서 첫 번째 악구는 분명히 제4마디의 G로 끝나며, 따라서

라틴어 가사의 마지막 음절인 * 표시한 단어 *sunt* 는 다음과 같이 제4마디 G에 위치해야 한다.

〈예-222〉 앞 예시의 수정안

〈예-223〉 음악적 악센트를 무시한 잘못된 번안곡

앞의 120쪽, 기악곡의 리듬단편 법칙 제5번에 의하면, 마디 첫음과 2번째 음이 동음이고 2번째 음의 음가가 첫음보다 길거나 같을 때, 그 2번째 음에 악센트가 붙는다. 이 악센트는 음악적으로 매우 중요하므로, 가사와의 불일치 때문에 이 악센트를 무시하기보다 가사의 의미를 희생해야 한다. 불합리할 수 있지만, 〈예-223〉에서 보듯 음절 *ge*, 즉 두 번째 E에 악센트를 주어야 한다. 가사와 음악이 잘 어울리는지 살피는 것이 번역가의 주된 임무이다. 이런 황당한 번역 대신 음악을 고려하는 진정한 아름다움을 지닌 본래 가사와 음악을 제시하면 다음과 같다.

〈예-224〉 음악과 가사의 조화 (원곡)

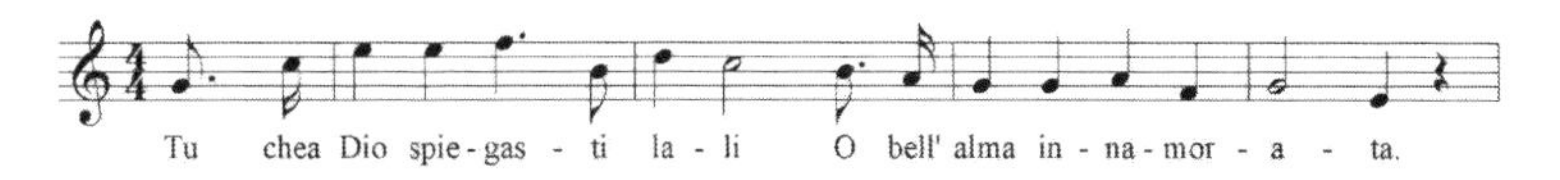

1665년 스트라델라가 작곡한 아름다운 곡인 〈아베 베룸Ave verum〉에는 다음과 같은 패시지가 있다.71)

〈예-225〉 음악과 가사의 부조화 (스트라델라, 아베 베룸)

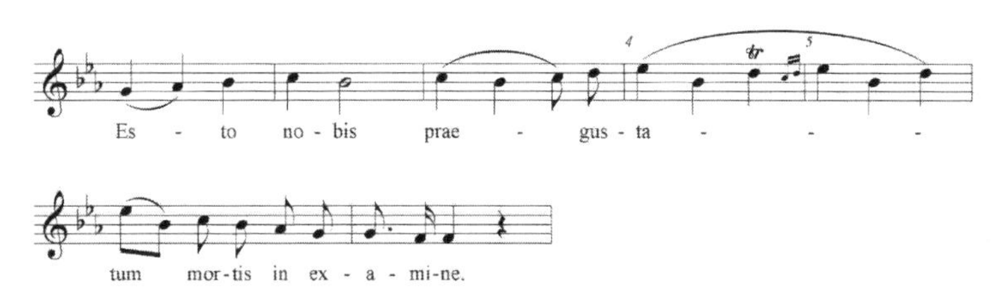

파리의 모든 교회에서 그 부적절함에 대한 아무 생각 없이 위와 같이 노래 부르고 있다. 제5마디는 제4마디의 단순 반복일 뿐이며 다만 1음절 단어로 된 리듬단편일 뿐이라는 점을 눈치채지 못한다면, 악구 감각이 전혀 없는 사람이다. 다음의 수정된 악보는 어떠한 가사 붙임이 노래하는 이에게 가장 적합한지를 보여준다.

〈예-226〉 앞 예시의 수정안

71) 209쪽의 〈예-346〉과 211쪽의 〈예-356〉도 같은 곡에서 인용한 것이다.

다음 예시는 가사가 어떻게 악구 구조와 무관하게 붙는지를 보여준다.

〈예-227〉 음악과 가사의 부조화 (마이어베어, 아프리카의 여인)

누구나 한눈에 위의 상승 악구가 어떻게 힘과 움직임, 열정을 축적하며 마지막 마디의 클라이맥스까지 도달하는지 알 수 있다. 단, 배은망덕하게도 제4마디에서 3개의 셋잇단음표가 가사 *rien* 에 주어지는 점을 제외하면 말이다. 그토록 열정적인 감정의 클라이맥스를 단일 비음鼻音인 *rien* 으로 어떻게 제대로 표현할 수 있는지, 그리고 그처럼 비음악적인 단어에 그토록 표현적인 음을 어떻게 부여할 수 있는지 의문이다. 대답은, 그렇게 쓰였다면 그것은 틀림없이 의도적이었다는 것이다.

모든 예술은 단지 웬만큼 참을만하다고 만족해서는 안 되며, 완벽함을 추구해야 한다고 생각한다면, 그러한 부조화는 확실히 개선되어야 한다. 이런 경우 우리는 가사와 음악이 동일한 영감에서 나온 것이 아니라는 느낌을 받는다. 음악은 가사에 영감을 주지 않고, 가사도 음악에 영감을 주지 않는다. 서로 독립적으로 따로 존재한다. 음악과 가사가 함께 놓여있지만 하나로 융합되지 않는다. 위의 패시지가 단지 화려하고 장식적인 카덴차라면 양자의 그러한 결합을 이해할 만도 하지만, 그래도 그것은 지나치게 열정적이고 한심한 악구이다. 그 형태와 구조, 끝에서 2번째 마디라는 위치 등이 모두 일반적이지 않은 이례적인 무게감을 준다. 제4마디 셋잇단음표의 각 음은 모두 그 자체로 중요하며, 한 음마다 각각 가사가 붙어야 한다. 심지어 다음 예시처럼 같은 음절 *non* 을 반복한다고 할지라도 앞의 〈예-227〉보다는 나을 것이다.

〈예-228〉 앞 예시의 수정안

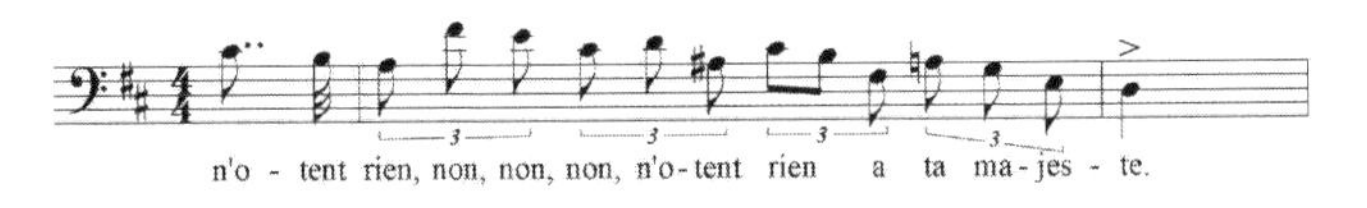

이처럼 음악과 맞지 않는 가사가 많다. 가장 힘차고 열정적인 패시지가 가사로 인해 약해지고 손상되는 경우가 빈번하기에, 선생은 이를 바로잡는데 주의해야 한다. 가사와 악구를 조화시키는 일이 매우 어렵다고 생각할 필요는 없다. 약한 구절을 강한 악구에, 강한 구절을 약한 악구에 맞추는 규칙[72]을 세심히 연구하고 이 장의 설명을 철저히 이해한다면, 이러한 실수를 피할 수 있다.

이 주제를 마무리하기 전에, 노래하는 이가 악구의 끝음을 다음 악구 첫음까지 끌고 가는 부주의한 방식에 대해 잠시 살펴보겠다. 매우 유명한 성악가가 로망스 〈낙원에서Au Paradis〉를 부른 적이 있다. 그 노래는 성직자와 가정부 사이의 대화인데, 가정부가 성직자의 방탕함을 비난하며 다음 〈예-229〉의 제4마디 D에서 악구를 마무리하면, 그다음 성직자가 G음에서부터 후렴을 부른다.

---

72) 90~98쪽, "2. 강한 악구와 약한 악구" 편을 참고하라.

〈예-229〉 가사의 의미를 무시한 성악가의 포르타멘토

그런데 실제로 가수는 두 악구를 위와 같이 포르타멘토로 연결했고, 이것이 관객의 박수갈채를 일으켰다! 그는 박수받기 위해 대중의 취향을 타락시킴으로써 예술에 대한 진정한 죄를 범한 것이다. 사실, 두 악구의 연결과 더욱이 포르타멘토는 완전히 잘못된 가창이다. 두 악구가 내용상 서로 다른 인물을 대표하는데, 어떻게 한 사람이 다른 사람의 소리를 붙잡아 끌 수 있을까? 이런 잘못을 저지르는 성악가의 양심이 놀랍다. 의심의 여지 없이 이런 식의 포르타멘토로 두 음을 연결하면 성악적으로 놀라운 효과를 일으킬 것이다. 그러나 성악적 기교는 어디까지나 예술적인 미감에 따라 행해져야 하며, 가사의 의미를 손상하지 않아야 한다.

〈예-230〉 음악적으로 허용되는 포르타멘토 (프로토우Flotow, 마르타)

위의 예시에서 제4마디와 같은 방식은 유익하게 사용될 수 있다. 같은 단어의 반복, 제3마디 끝부터의 순차 상행, 버금가온음(음계의 제6음: 역주)으로

의 전조, 악구의 새로운 전개, 악구 최고음인 끝음의 페르마타 등 모든 것이 대단한 힘과 에너지를 발산한다. 따라서 지친 가수가 자신의 목소리를 낮추고 다음 악구의 첫음에 끌려가는 것은 자연스러운 일이다. 특히 그것이 넓은 하행 도약 뒤에 오면 더욱 그렇다.

그러나 기악곡에서는 종종 다음 악구 첫음이 도약 상행으로 시작하여 반복되는 경우, 악구 끝음이 다음 악구 첫음과 결합할 수 있다.

〈예-231〉 모차르트, 피아노 소나타 19번, 2악장, K. 547a

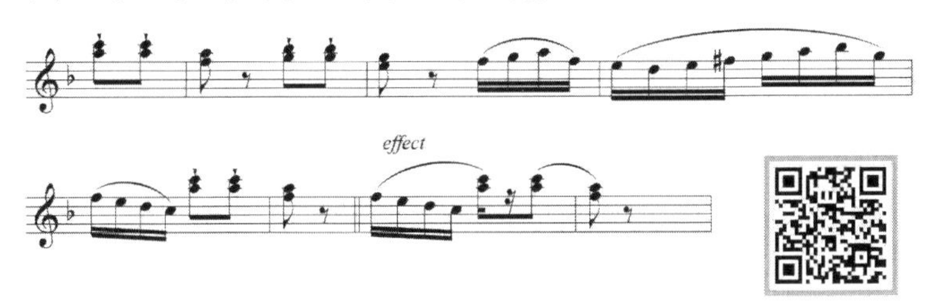

〈예-232〉 악구 간 연결의 허용 (쇼팽, 마주르카, Op. 7, No. 1)

위와 같은 조건에서는 두 악구 간의 연결이 허용된다. 그러나 많은 가수, 바이올린 주자와 첼로 주자들이 이를 상습적으로 남용하고 있다.

10. 악구 악센트 규칙

1) 악구 첫음의 악센트

앞의 "4. 종지 어법"에서 설명했듯 악구의 끝에서 음량이 작아지고 그 뒤에 쉼이 따를 때, 악구 끝음은 어느 정도 귀에 완전한 종지감을 준다. 악구 악센트의 전체적 힘은 바로 이 점에 달려있다. 음량의 감소와 쉼이 이어지는 다음 음에 힘과 악센트를 부여하기 때문이다. 그러나 악구 끝음이 아무리 여리고 부드럽더라도, 그 음은 귀에 어떤 인상을 남길 것이고 이 점이 악구 첫음 악센트의 첫 번째 규칙을 제공한다.

1. 악구 첫음이 위치와 관계없이 악센트를 받는 경우

(1) 악구 첫음이 하행 패시지 또는 후행악구의 최고음이고, 선행악구가 더 낮은음으로 시작할 때

〈예-233〉 쇼팽, 즉흥곡, Op. 29, No. 1

〈예-234〉 이별

〈예-235〉 베버, 트리오, 마지막 생각 Dernière Pensée

〈예-236〉 멘델스존, 론도 카프리치오소, Op. 14 [73)]

Chopin, Impromptus, Op. 29, No. 1　Mendelssohn, Rondo Capriccioso, Op. 14

(2) **이전 악구가 강박에서 시작하는데, 특별히 다음 악구 첫음이 올림박, 내지 마디의 마지막 박에 주어질 때.** 이 경우, 해당 악구 첫음이 당김음, 즉 다음 마디의 첫음으로 연장되기에 특별한 악센트가 필요하다.

〈예-237〉 레이바흐, 티로리엔느 Tyrolienne

〈예-238〉 쇼팽, 즉흥곡, Op. 29, No. 1

73) 베버, 〈무도회의 권유〉 서주도 참고하라.

2. 악구 첫음에 악센트가 붙지 않는 경우

(1) 악구 첫음이 마디 시작에 위치하는데, 그다음에 쉼표가 뒤따르거나 그 음이 반복됨으로써 해당음이 리듬단편의 끝으로 간주될 때

〈예-239〉 쇼팽, 마주르카, Op. 7, No. 3

〈예-240〉 도니제티, 루치아

이는 특히 첫 번째 악구가 강박에서 시작하는 반면 두 번째 악구는 위와 같이 출발점이 되는 음이나 올림박에서 시작하는 경우이다.

(2) 3/4박자 1마디에 8분음표 6개가 있는데, 처음 3개와 다음 3개가 서로 다른 그룹에 속하며 악구가 두 마디에 걸쳐 있을 때

〈예-241〉 베버

이런 종류의 리듬구조에서 박절 악센트의 자연스러운 율동이 없어지면, 박자와 악구가 완전히 뒤바뀌어 3/4박자가 6/8박자처럼 된다. 이런 흥미로운 악구가 평범해지며 틀림없이 다음과 같은 오류가 발생할 수 있다.

〈예-242〉 박자와 악구의 뒤틀림

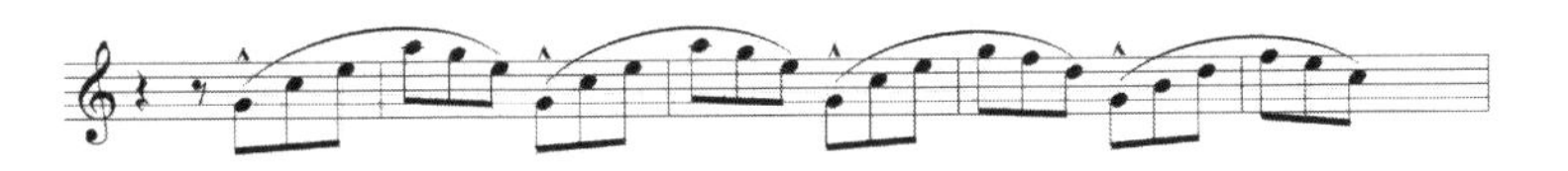

정확히 같은 음가의 음그룹이 악센트 변화에 따라 서로 다른 박자와 악구를 생성한다. 크레머Cramer의 연습곡 11번을 참고하라. 그 연습곡은 거의 올바르게 연주되는 일이 없다. 이런 경우, 박자와 악구를 모두 정확히 유지하기 위해서는 박절 악센트를 뚜렷하게 지켜야 한다.

종종 악구 첫음은 어떤 때는 악센트가 붙고, 다른 때는 붙지 않기도 한다. 특별하게 당김음이나, 그룹의 마지막 음 또는 트릴의 마지막 음이 뒤따를 때, 악구 첫음이 아닌 2번째 음에 악센트를 준다.[74] 예를 들어, 슐호프Schulhoff의 〈베니스의 카니발〉 Andantino에서, 첫 악구의 첫음 F는 다음과 같이 악센트를 주어야 한다.

〈예-243〉

74) 이 책의 127쪽을 참고하라.

그러나 두 번째 악구는 다음 예시와 같이 도약 하강과 함께 강한 당김음을 이루기에, 첫음 F 대신 당김음인 2번째 음 A에 악센트가 붙는다.

〈예-244〉 당김음에 의한 악센트 변화

같은 구조의 악구가 다시 반복될 때, 이 F 앞에 다음 예시와 같이 트릴이 옴으로써 F가 트릴의 마지막 음으로 해결된다. 즉, F가 트릴과 연결되어야만 하기에 F가 악센트를 잃고 다음 음인 A에 악센트가 붙는다.

〈예-245〉 트릴로 인한 악구 악센트 변화

2) 악구 끝음의 악센트

1. 강한 악구의 끝음에 악센트가 붙는 경우

⑴ 악구 끝음이 반복음이거나 마지막 마디에 홀로 있을 때

〈예-246〉

〈예-247〉

(2) 약한 악구에 부속된 뒷 악구에서, 앞 악구의 끝을 대체하는 음에 악센트가 온다.

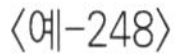

(3) 악구 끝음이 큰 폭으로 도약 하행하고, 그 음에 짧은 앞꾸밈음acciaccatura 가 주어질 때(이것은 자주 아포지아투라 appogiatura 라고 잘못 불린다)

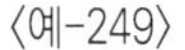

〈예-250〉

2. 강한 악구의 끝음에 악센트가 붙지 않는 경우

(1) 끝음의 길이가 짧아, 다음 악구 첫음이 같은 박 또는 다음 박에서 시작할 때

〈예-251〉 로시니

〈예-252〉 존 필드, 녹턴 5번

악구 끝음이 짧은 음이고, 다음 악구의 첫음이 같은 박에서 뒤따르기에 곡 전체에서 강한 악구의 끝음에 악센트가 붙지 않는다.[75]

(2) 악구 끝음 앞에 표현적인 음이 올 때

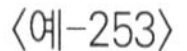

(3) 악구 끝에서 2번째 음이 특별히 긴 음이거나 그앞에 긴 음이 올 때

〈예-254〉

75) 탈베르크Sigismond Thalberg의 《윌리엄 텔》, 4·6·12쪽을 참고하라.

〈예-255〉

다음과 같이 악구 끝에서 음절이 하나 추가되면, 강한 악구가 된다.

〈예-256〉

음악이 언어의 강한 구문과 약한 구문을 모두 수용할 수 있기에, 이러한 모호함이 분명 자유와 에너지를 빼앗을 것이다. 종종 강한 악구의 끝음 다음에 코데타 역할을 하는 반음계적 음이 올 경우, 강한 악구가 약한 악구의 모습을 띠게 된다.

〈예-257〉 가장 좋아하는 것 La Favorita

〈예-258〉 베토벤, 비창 소나타, 2악장, Op. 13

이러한 규칙으로부터 다음의 결론을 도출할 수 있다.

○ 악구가 강할수록, 끝음의 악센트도 더욱 강해진다.

○ 악구가 부드럽고 온화할수록, 끝음의 악센트는 약해진다.

○ 악구 끝음이 짧을수록, 악센트도 약해진다.

악구 끝에 거칠고 단조로운 악센트를 주는 것만큼 불쾌한 연주는 없다. 반면, 끝을 너무 짧게 끊는 것도 악구에 갑작스럽고 무미건조한 빈 공간을 남기기에, 마찬가지로 좋지 않다. 다른 모든 일이 그렇듯 악센트에 관해서도 음악적 상식과 예술적 미감에 충실해야 한다.

3. **약한 악구의 끝음에 악센트가 붙지 않는 경우,** 앞의 음과 연결되면서 부드럽게 올려져야 한다.

(1) 끝에서 2번째 음이 길 때

〈예-259〉

(2) 끝에서 2번째 음이 반음계적 음일 때

〈예-260〉 〈예-261〉

(3) 끝에서 2번째 음이 동음 또는 온음계적·반음계적 반복음일 때

4. 약한 악구의 끝음에 악센트가 붙는 경우

(1) 당김음일 때

(2) 앞에 쉼표가 올 때

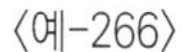

(3) 반복음일 때

〈예-269〉

(4) 다음 악구의 첫음에 의해 연장될 때 76)

5. 약한 악구의 끝에서 2번째 음에 악센트가 붙는 경우

(1) 긴 음일 때

(2) 반음계적 음일 때

(3) 반복음일 때 77)

끝에서 2번째 음이 긴 음일 때 그 음은 종종 짧은 음가의 장식적 형태로 율동하거나 잘게 쪼개지는 음형으로 대체될 수 있다. 이 경우, 악센트는 그러한 음형의 첫 번째 음에 붙어야 한다. 강한 악구의 마지막 마디의 첫 번째 음이 연장되거나 약한 음일 때도 마찬가지다.78)

〈예-270〉 끝에서 2번째 음이 긴 음인 단순 종지

76) 이 책의 95쪽을 참고하라.

77) 180쪽의 〈예-259〉와 181쪽의 〈예-263〉을 참고하라.

78) 178쪽, 2번 (3) 조항을 참고하라.

〈예-271〉 장식적 종지

〈예-272〉 단순 종지와 장식적 종지

〈예-272〉에서 악구는 실제로 마디 첫 번째 음에서 끝나지만, 퉁명스럽고 갑작스러운 종지를 피하고 귀의 종지감을 만족시키기 위해 나머지 음들을 장식적으로 추가한 것이다.

끝에서 2번째 음이 넓은 도약 음정으로 하강할 때 종종 꾸밈음 또는 전타음appoggiatura이 앞에 붙는다.

〈예-273〉

약한 악구의 경우, 끝에서 2번째 음을 강조해야 하는 이유는 귀가 기대하는 음을 지연시켜 최종적인 휴식의 느낌을 주기 때문이다. 이러한 지연은 장애물이기에 이를 무력화시킬 힘이 필요하다. 만약 끝에서 2번째 음

을 생략하면, 약한 악구가 다시 강한 악구로 바뀌어 마지막 음에 악센트가 붙는다.79)

〈예-274〉 끝에서 2번째 음에 악센트가 붙는 약한 악구

〈예-275〉 강한 악구로 변형

〈예-276〉 약한 악구와 강한 악구의 종지 비교 80)

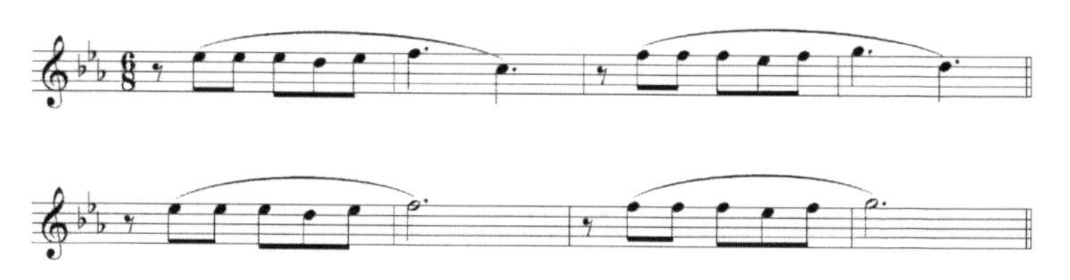

비창 소나타 서주 제1 · 2마디에서, 악구 끝에서 2번째 화음을 생략한다면, 악구의 표현적 독창성이 전부 사라질 것이다.

결국, 종지음 앞에 오는 음들의 끌어당기는 힘이 더 클수록, 종지음은 악센트를 덜 받게 된다. 다시 말해, 귀가 원하는 휴식에 장애가 되는 불

79) 악구 끝에서 2번째 음이 최종 종지 화음의 구성음일 경우, 그다음 악구 끝음은 생략할 수 있다. 그러나 끝에서 2번째 음이 비화성음이라면, 악구 끝음이 아닌 끝에서 2번째음을 생략할 수 있다.

80) 113쪽의 〈예-118〉, 114쪽의 〈예-119〉를 참고하라.

협화적인 음이 많을수록, 즉 반복 · 계류 · 불협화음 · 반음계 · 긴 음과 같이 악구 끝부분이 더욱 복잡해질수록, 그러한 음들에 더 큰 악센트와 강조가 요구된다. 사실 이런 종류의 악센트는 표현 악센트이며, 그러한 악센트를 격렬하게 강요하지 않는 이상 귀가 그러한 강력한 힘을 수용하기는 어렵다. 더욱이 끝에서 2번째 음의 음가가 길면 여러 개의 음으로 대체할 수 있으므로, 이러한 생략되거나 함축된 음들의 힘을 그 자리에서 그대로 취하게 된다. 앞의 7개의 예시를 참고하라.

3) 리듬단편의 악센트

마디나 박의 어디든 간에, 리듬단편의 첫음은 악센트를 주어야 하고, 리듬단편의 끝음은 악센트를 주지 않아야 한다. 심지어 춤곡에서 리듬단편의 끝음이 마디 시작에 위치할지라도 악센트를 주지 않는다.[81]

〈예-277〉 스핀들러Spindler, 후사렌리트Hussarenritt

〈예-278〉

81) 바로 이 점이 왜 그렇게 많은 연주자가 춤곡을 형편없이 연주하는지를 설명해 준다. 그들은 악구 악센트를 위해 박절 악센트를 너무 많이 희생하고, 각 마디의 첫음을 충분히 표시하지 않는다.

구노의 왈츠 〈파우스트〉, 부르크뮐러의 〈유대인 방랑자〉, 메트라의 왈츠 〈장미〉, 아셔의 마주르카 〈썰매〉 등을 보아라. 이 곡들 전체를 통틀어 마디의 첫음이 리듬단편의 끝음이거나 악구의 끝음일 경우, 악센트가 붙지 않는다. 그러나 리듬단편의 끝음이 당김음이거나 반복음, 또는 마디 전체를 차지하는 음이라면, 악센트가 붙는다.

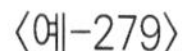

따라서 단순한 리듬단편의 첫음과 끝음은 박절 악센트를 파괴하는 특징을 지닌다. 〈예-279〉와 〈예-280〉에서 각 마디의 첫음과 끝음은 모두 악센트가 없다. 잘 훈련된 학생일지라도 이런 종류의 패시지를 박자에 맞춰 연주하는 것은 쉽지 않다. 끝으로, 다음과 같은 리듬형에서는 분할 리듬 다음의 온전한 1박 음이 강하다고 점을 잊지 말아야 한다.[82]

---

82) 이 책의 116쪽과 158~159쪽을 참고하라.

그리고 다음과 같이 악구 끝음에 지속음, 테누토, 이음줄이 동반되지 않는다면, 악구 끝음 다음에 쉼표가 뒤따라야 한다.

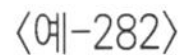
〈예-282〉

음악에서 '악구'의 엄청난 중요성으로 인해 제5장의 길이가 유독 길어졌다. 다양한 관점에서 이 주제를 다루었기에 이제 여러분은 악구 악센트에 대한 확신을 얻었을 것이다. 본능적으로든 학습을 통해서든, 음의 관계성, 종지를 유도하는 자연스러운 경향, 끌어당김에 따라 악센트를 붙이는 정확한 방법을 알지 못한다면, 그 누구도 올바르게 작곡하고 기보할 수 없으며, 또한 지적이고 예술적으로 연주할 수 없다.

11. 실습

처음부터 악구로 주의를 향해야 한다. 즉, 동음이나 같은 음가의 음을 포함하거나 대칭적인 형태를 이루는 마디 그룹들(2:2, 4:4, 8:8 등)의 주기적인 반복에 주의해야 한다. 음그룹에서 아이디어와 음악적 단위를 식별할 수 있을 만큼 명확하게 리듬악구를 이해할 수 있다면, 이제 리듬단편과 친숙해져야 한다. 처음에는 리듬단편에 주의를 두지 않고 몇 곡을 연주한 후, 각 곡에 리듬단편을 표시하며 반복 연습한다. 언제 리듬단편을 만들고, 무엇보다 특히 언제 어디에서 리듬단편을 만들지 말아야 할지 알아야 한다. 연주하는 모든 곡의 악구를 분석하고, 모든 잘못된 악센트 붙임과 지시사항을 교정하는 데 주저하지 말아야 한다.

먼저 민요, 성악곡, 춤곡의 악구 분석부터 시작한다. 그러고 나서 예술작품 연구로 건너간다. 처음엔 민요와 성악곡의 가사를 숨겨둔 다음, 거기에 악구와 리듬단편을 표시하고, 이어서 가사를 보며 가사에 의한 악센트와 자신의 악구 분석을 비교한다. 유명 피아니스트 중 누군가는 단지 프레이징을 배우기 위해 이탈리아에서 3년을 보냈지만, 그럼에도 불구하고 잘못된 악센트 붙임에서 완전히 자유롭지 못했다고 한다. 그러나 여러분이 이 장을 충분히 읽고 요약하며 주의 깊고 철저하게 익힌다면, 아마도 악구 지식과 감각을 얻기 위해 이탈리아로 갈 필요는 없을 것이다. 충분한 학습과 연습 덕분으로, 악구와 리듬단편, 운율 체계, 종지 어법, 악센트 붙임에 대한 완전한 지식을 얻게 될 것이다.

제6장

표현 악센트

1. 박절적 특수성
2. 악구적 특수성
3. 조성·선법적 특수성
4. 화성적 특수성
5. 실습

제6장 표현 악센트

지금까지 우리는 본능과 지성의 영역에 있었다. 기존 이론에서 박절 악센트이든 악구 악센트이든 항상 악센트를 강세 없는 음들에 의해 분리되어 일정한 간격으로 반복되는 순전히 기계적인 체계로 환원했다는 것은 그리 놀라운 일이 아니다. 이제 드디어 **감정**의 영역으로 들어선다. **표현 악센트**는 느껴지고 표출되기 위하여 영혼을 요구한다. 그것은 그 무엇보다 진정한 예술가의 표식이다. 표현 악센트는 음악에 시적인 색채를 제공하기에, 그것을 **시적 악센트**라고 부르는 것이 더 정당할지도 모르겠다. 악곡에서 수차례 **반복되는** 음, 보조음, 격리된 당김음, 반음계적 음정 등과 같은 표현적인 요소들은 매우 시적이다.

표현 악센트는 어떤 종류의 규칙에도 지배받지 않는다. 그것은 하나의 음에 올 수도 있고, 몇 개의 연속적 음에 올 수도 있다. 그것은 마디에서 강박이나 약박, 그리고 악구의 첫음과 끝음 어디에도 올 수 있다. 표현 악센트의 본질적인 특징은 **예상치 못한** 단 하나의 조건으로 정의된다. 그러나 표현 악센트가 어디에 놓이든, 그것은 가장 섬세하고 효과적인 대조를 즉각 불러일으킨다. 예술가는 불굴의 에너지에 사로잡혀 자신의 감정을 표현한다. 예술가는 힘을 증가시키고 음색을 풍부하게 할 뿐 아니라 속도를 감소시키며 그에 따른 필연적인 반응으로 시간을 급격히 변화시킴으로써 가장 강력하고 시적인 효과를 만들어낸다.

표현 악센트는 하나의 원리와 연결되는 3가지 현상을 복합적으로 요구한다. 그 3가지 현상은 적절한 **표현 악센트**, **감정적 요소**, 그리고 **뉘앙스**이다. 이들 각각에 대해 개별적으로 한 장씩 할애할 것이다. 먼저 **표현적인** 특성으로 감동을 주고자 더욱 특별히 계산된 음들을 찾기 위해, 26쪽에서 언급한 이론을 간략히 상기해 보자.

조성음악은 3가지 주요 요소, 즉 장·단조의 **음계**, **박자**, **리듬악구**로 구성된다. 이 3요소에 의해 우리의 음악적 본능은 **끌어당김**, **규칙성**, **대칭성**의 3가지 욕구를 고취하며 제한적이고 통일적인 논리체계에 익숙해진다. 조성·박자·악구 법칙에 종속되는 음그룹을 인식하자마자, 우리는 유사한 그룹의 연속을 기대하고 욕망하게 된다. 다시 말해, 같은 조와 같은 음 배열로 된 유사한 악구를 기대하고 욕망하게 됨으로써 우리는 곡의 악구를 인식하게 된다. 따라서 원조로부터 원격조의 낯선 음(으뜸음을 대체하거나, 조를 바꾸거나, 최종 종지를 지연시키고 새로운 욕망과 끌림을 부가할 수 있는 음)이 등장하거나, 불규칙하고 예상치 못한 음들이 나타나 박절 악센트의 규칙이 무너지며 악구 구조의 대칭성이 파괴될 때, 그러한 현상이 우리에게 힘을 과시하며 결과적으로 놀라운 인상을 남긴다. 처음에는 이 음들이 잘못된 것이라는 충동이 일지만, 곧 그것들이 조성·박자·악구 법칙과 일치하며 새로운 조와 끌어당김의 새로운 중심, 또는 새로운 악구 구조로 이끄는 것을 감지하고 변화를 수용하게 된다. 그러므로 예술가는 더 강력한 음색과 더욱 큰 생명력으로 음악적 인상을 표현할 것이며, 그로 인해 피로와 무력감이 뒤따를 것이다.

이제 이러한 변칙과 특수성을 하나씩 살펴보며 그 출현방식과 효과를 검토할 것이다. 이 장은 전문예술가보다 학생들을 위해 더 많은 부분을 할애하였다. 악곡의 시적 표현성과 생명이 종종 어떤 감지할 수 없는 사소한 것에 의존한다는 점을 알게 될 것이다. 정밀한 분석으로 이끌어 줄 필수적인 세부 사항들에 대해 미리 겁먹을 필요는 없다.

1. 박절적 특수성[83]

박절 악센트의 주요한 표현적 특수성은 당김음이다. 약박의 음이 강박의 자리로 연장될 때 당김음이 발생한다. 이는 다음 마디·박·분박의 첫 번째 음 동안 연장된 이전 마디·박·분박의 마지막 음이다.

〈예-283〉

83) 특수한 것과 일반적인 것은 분명히 구분되어야 한다. 기보법은 무엇이 특수한 것인지 훌륭하게 전한다. 짧거나 긴 음, 상행 또는 하행, 병진행 또는 반진행, 서로 다른 부분들의 다양성, 시퀀스의 중단, 음정 간격, 임시표의 출현에 의한 조와 선법의 파괴 등 - 그 어떤 것도 숙련된 눈을 피할 수 없다. 기보법이 잘 나타낼 수 없는 것은 단지 증4도(F-B)와 감5도(B-F)이다. 다른 증·감 음정들은 임시적 ♯과 ♭을 특징으로 한다. 루시의 *Histoire de la Notation Musical*, 189쪽을 참고하라.

그러나 **당김음**과 **연장** 간에는 큰 차이점이 있음을 알아야 한다. 연장은 단순히 강박 또는 연장된 강박의 일부를 점하는 음이다.

〈예-284〉 단순한 연장

〈예-285〉

〈예-286〉

〈예-285〉와 〈예-286〉은 박자를 그대로 유지한 채 당김음에 의해 무너진 박절 악센트를 보여준다. 박절적으로 강박에 악센트가 오지 않고, (붙임줄 또는 당김음으로 인해) 타건되지 않는 음에서 얻어지는 에너지가 약박 위치의 음에 악센트를 붙게 한다. 당김음은 박절 악센트의 일관성을 깨뜨린다. 3박자에서 제2박의 음이 연장될 때, 당김음 효과가 발생한다. 이는 아마 3/4박자에서 제3박을 강박으로 취했기 때문일 것이다.

〈예-287〉 당김음에 의한 표현 악센트

〈예-288〉 베르디

우리는 이미 앞서, 당김음이 강박을 대체함으로써 박절 악센트뿐만 아니라 악구 악센트도 파괴하고, 자연적으로 악센트가 없는 약한 악구의 끝음에 큰 힘을 실어주는 것을 보았다.[84]

〈예-289〉 도니제티

〈예-290〉 메훌Méhul

당김음이 여러 차례 반복될 때 힘과 에너지를 얻는다.

〈예-291〉 로시니, 윌리엄 텔

〈예-292〉 로시니, 성모의 고통Stabat Mater, 임프라마투스Inflammatus

84) 이 책의 92~93쪽과 181쪽을 참고하라.

〈예-293〉 벨리니, 카스타 디바

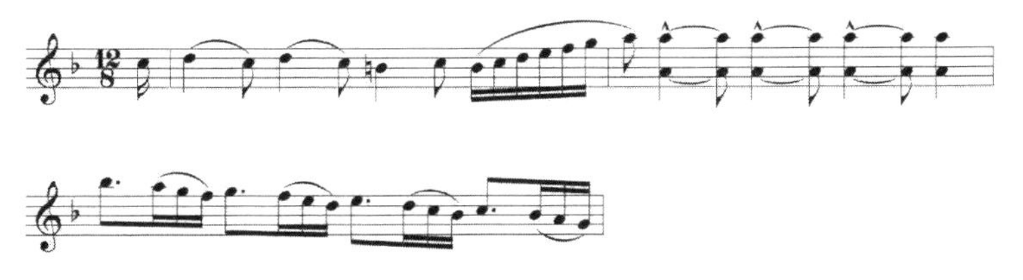

2. 악구적 특수성

여기서는 특수한 음길이, 상행·하행, 순차·도약 진행 등으로 악구 구조의 대칭성을 파괴하고, 선행 또는 후행하는 음들과 대조를 이루는 모든 음과 음그룹을 다룬다.

긴 음 다음에 특수하게 여러 개의 짧은 음이 뒤따르면, 그 긴 음이 큰 힘을 얻으며 비브라토와 크레센도를 하게 된다.

〈예-294〉 긴 음의 표현성 (모차르트, 나의 보물il mio tesoro)

〈예-295〉 독일 노래, 부재L'Absence

〈예-296〉

〈예-297〉 모차르트

그러나 긴 음이 약한 악구의 끝음이라면, 그 음에 악센트가 붙으면 안 된다. 만약 이 긴 음이 힘을 얻어 템포가 변한다면, 특별히 여러 번 반복하는 음에 강한 악센트가 붙는 것이 합당하다. 분명히 이러한 음들은 특히 당김음일 때 의도적으로 매우 큰 힘을 부가해야 한다. 다음 예시에서 4회 반복되는 D♯와 C♮ 화음은 악기가 낼 수 있는 최대한 모든 힘을 요구한다.[85]

〈예-298〉 모차르트

85) 〈아름다운 천사여O bel ange〉, 〈루치아〉, 〈큰 사랑을 위하여Pour tant d'amour〉, 〈가장 좋아하는 것Favorita〉, 그리고 195쪽, 벨리니의 〈예-293〉을 참고하라.

〈예-299〉 모차르트

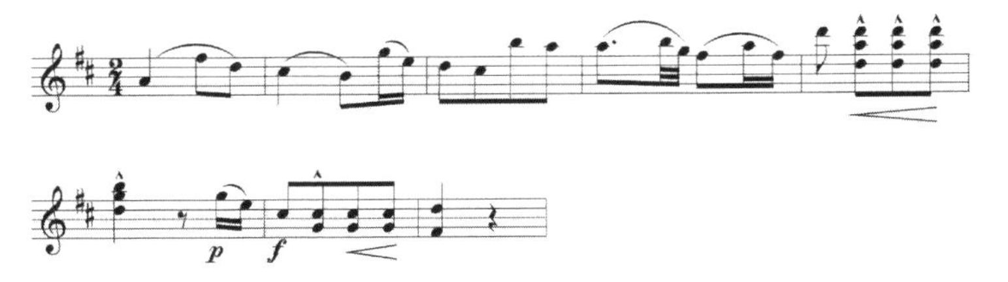

〈예-300〉 로시니, 윌리엄 텔

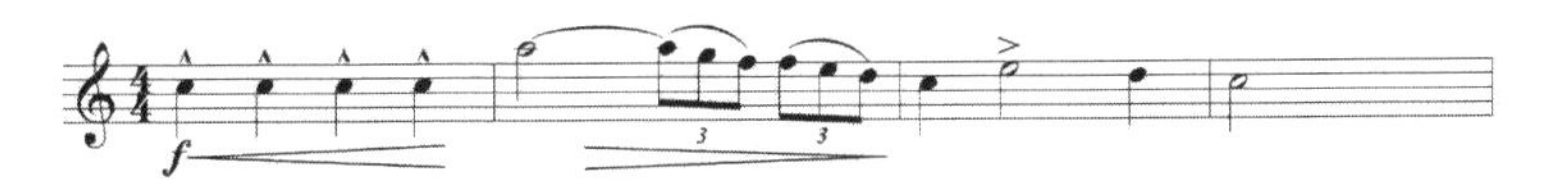

부속악구가 하나의 긴 음 대신 짧은 음들을 도입할 경우, 다음과 같이 그 음들에 각각 악센트를 주어야 한다.

〈예-301〉 도니제티, 연대의 딸Figlia del Reggimento

〈예-302〉 베르디, 일 트로바토레

〈예-303〉

〈예-304〉

2분음표, 4분음표, 8분음표, 또는 16분음표 등으로 구성되는 악구에서 특수하게 1음 1박으로 상행하는 마디가 출현할 때, 이 음들에 악센트를 주어야 한다.

〈예-305〉 마이어베어

위와 유사한 경우에서 마디가 하행하는 음들로 구성된다면, 이때는 다음과 같이 탄력적으로 연주해야 한다.

〈예-307〉

음들이 도약 진행하는데, 그 앞이나 뒤의 음그룹은 순차 진행할 때, 특히 그 도약 진행하는 음에 악센트가 붙는다.

〈예-310〉 로시니, 어두운 숲Sombre forêt

〈예-311〉 베토벤, 7중주

특수하게 셋잇단음표를 이루는 음들은 특히 그것이 악구의 끝에 올 경우, 악센트를 주어야 한다.[86]

86) 168쪽, 마이어베어의 〈예-227〉을 참고하라.

〈예-312〉 벨리니, 노르마

〈예-313〉 메르카단테, 십자가에 못 박혀Crucifixus

이러한 셋잇단음표나 짧은 음들이 악구 끝에서 균일하게 하행(일종의 캐스캐이드)할 때, 그 음들에 악센트를 주어서는 안 된다.

〈예-314〉 벨리니, 노르마

〈예-315〉 로시니, 어두운 숲

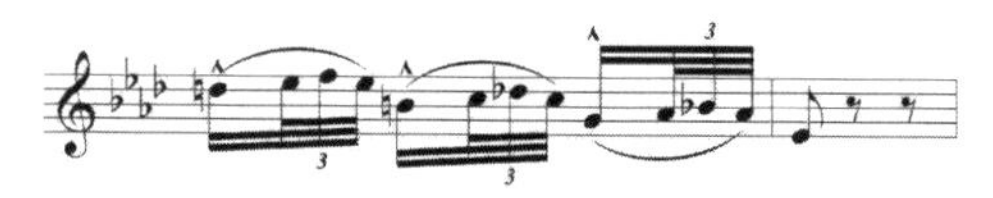

〈예-316〉 벨리니, 노르마

끝에서 2번째 긴 음을 대체하는 장식적 음형에 악센트를 주어서는 안 된다.[87]

〈예-317〉

특수하게 후행악구의 음들이 선행악구의 보조적pendant 악구를 이루는 음들보다 음높이가 더 높거나 더 넓은 음정으로 진행할 때, 후행악구의 음에 악센트를 주어야 한다.

〈예-318〉

위의 예시에서 제3마디의 * 표시한 B는 돌출적이어서, 그 음을 실수로 여기게 되는 충동이 인다. 그러나 조금 속도를 늦추어 연주해 보면, 작곡

87) 이 책의 92쪽과 183쪽의 악구 악센트 설명을 참고하라.

가가 그렇게 의도했음을 알게 된다. 신중한 주의를 기울이면 실수라고 여겨졌던 것의 진정한 아름다움이 보인다. 다음 예도 그렇다.

〈예-319〉

위의 예시에서 제6마디의 * 표시한 E♭은 첫눈에 오해의 소지가 있는 비논리적인 음으로 보인다. 그렇기에 그 놀람으로 인해 연주자는 훨씬 더 강한 악센트를 표현하게 된다.

〈예-320〉 베토벤, 미뉴에트

〈예-321〉 벨리니, 몽유병의 여인 La Sonnambula

〈예-322〉 슈베르트, 마왕 Erlkönig

〈예-323〉 멘델스존, 론도 카프리치오소

〈예-324〉 벨리니, 노르마

첫 악구가 반복될 때 약박에서 출현하는 다음 3가지 도입적인 음notes d'élan[88]에 악센트를 주어야 한다. (1) 첫 악구가 강박으로 시작했을 때, (2) 음들이 더 많아질 때, (3) 음 진행 방향이 바뀔 때.[89]

〈예-325〉 존 필드, 녹턴 5번

〈예-326〉 레이시거, 베버의 마지막 왈츠

---

88) 이 책의 103쪽을 참고하라.

89) 173쪽, 레이바흐의 〈예-237〉을 참고하라.

〈예-327〉

넓은 음정으로 상행하는 고음에 악센트를 주어야 한다. 특히 그다음 음들이 순차 진행하거나 앞서 언급한 강압적인 음들일 경우 더욱 그렇다.

〈예-328〉 베버

〈예-329〉 마이어베어 (예-305)

〈예-330〉

〈예-331〉 구노, 파우스트 [90]

90) 194쪽, 로시니의 〈예-291〉, 〈예-292〉를 참고하라.

장식음이 붙은 음에 악센트를 준다. 그러나 이 음이 약한 악구의 끝음 앞에 놓일 때는 악센트를 주어서는 안 된다.[91]

〈예-332〉 웨이라우흐Weyrauch, 이별

〈예-333〉 리스버그Lysberg

〈예-334〉 도니제티, 얼마나 좋은지com' è gentil

91) 이 작은 음들은 일반적으로 다음의 경우 사용된다. (1) 특히 악구 끝의 상위 보조음 앞에서(208쪽 참고), (2) 첫 박에 떨어지는 하위 보조음의 선행음 앞에서, (3) 강한 악구의 끝에서 2번째 마디 마지막 박에 오는 반복음이나 그 밖의 다른 표현적인 음 앞에서, (4) 넓은 음정으로 상·하행하는 음 앞에서(183쪽 참고). 단, 이런 종류의 아포지아투라, 아치아카투라(짧은 앞꾸밈음), 모르덴트 등은 작곡가의 지시에 따라 적당하게 사용하기를 권한다.

그룹의 최고음은, 특히 그 음이 악구 첫음일 때 악센트가 요구된다.92)

〈예-335〉 슐호프Schulhoff

위의 예시와 같이 최고음 다음에 순차 하행하는 등시가의 음들이 뒤따르면, 그 최고음은 앞음과 이음줄로 연결되고, 다음 음들은 분리된다. 특히 그 음들이 후행악구일 때, 더욱 그렇다.

〈예-336〉 베르디

〈예-337〉 슐호프

특수하게 악구의 끝에서 2번째 마디에서 하행하는 음그룹이 출현할 때, 첫 번째 최고음은 이음줄로 연결해야 하고, 뒤따르는 음들은 다음과 같이 매우 탄력적으로 연주해야 한다.

〈예-338〉 캄파나Campana, 너 없이 살기 위해Vivre sans toi

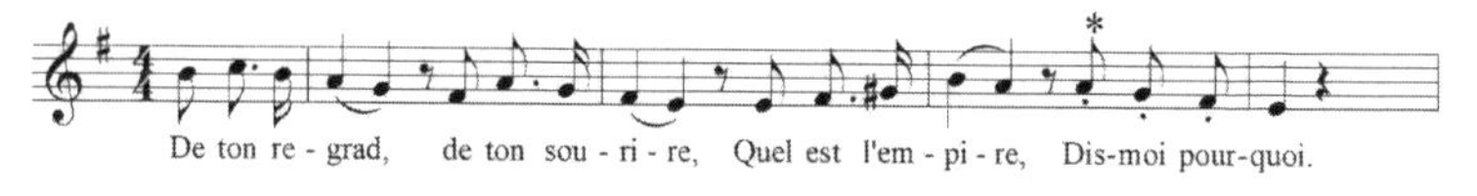

92) 이 책의 172쪽을 참고하라.

〈예-339〉 구노, 파우스트

〈예-340〉 리톨프Litolff, 실 잣는 여인의 노래Chant de la fileuse

상행하는 패시지에서 최고음 다음에, 같은 음가로 순차 하행하거나 도약 하행하는 음들이 뒤따를 때, 그 최고음은 앞의 음들과 이음줄로 연결되어야 한다.

〈예-341〉 슐호프

〈예-342〉 레이바흐, 녹턴 2번

〈예-343〉 라비나, 달콤한 생각

이러한 연주 효과는 고무로 된 공을 힘차게 던진 후 떨어지는 튕김이 점점 더 작아지는 일련의 탄성 효과와 같다. 이러한 효과를 피아노에서 만들기 위해서는 다음 규칙을 따라야 한다.

1. 이음줄 끝의 최고음 앞의 음에 손가락을 유지하고, 미끄러지는 동작으로 두 음을 동시에 들어 올린다.

2. 이음줄 끝의 최고음을 강하게 쳐서는 안 된다.

3. 이음줄 끝의 최고음은 음가의 반만 유지하고 그다음 쉼을 주어야 한다.

4. 최고음 다음에 오는 음은 지연되어야 한다.

5. 이어지는 두세 개의 음들은 섬세한 탄력으로 약간 서두르는 듯 연주한다.

물론 이 규칙은 최대한 주의를 기울여 행해져야 하며, 녹턴, 몽상곡, 카프리스 등과 같은 장르에만 적용되어야 한다.

반복음의 모든 특수한 출현은 표현 악센트를 요구한다.93)

〈예-344〉 베토벤, 피아노 소나타 1번, 2악장 Adagio, Op. 2, No. 1

---

93) 이 책의 119쪽, 리듬단편 규칙 제4번을 참고하라.

〈예-345〉 디토Ditto

〈예-346〉 스트라델라, 아베 베룸

〈예-347〉 베토벤, 비창 소나타, 2악장 Adagio, Op. 13

그러나 다른 모든 음보다 먼저 표현 악센트를 요구하는 음은 다음 4가지 경우의 상위 보조음이다. (1) 해당음이 악구의 시작에 위치할 때, (2) 해당음의 음가가 이전 음보다 더 길 때, (3) 해당음이 악구의 끝에서 2번째 박에 위치할 때, (4) 해당음 앞에 쉼표가 올 때.[94]

〈예-348〉 도니제티

94) C-D-C와 같이 두 개의 C 사이에 오는 D, 그리고 D-E-D에서 E 등을 상위 보조음voisine aiguë이라고 한다. D-C-D에서 C는 하위 보조음voisine grave이다. 종종 상위 보조음 앞의 낮은음은 생략되기도 한다(예-351). 최고음과 상위 보조음은 평범한 노래에서조차도 표현 악센트를 요구한다.

〈예-349〉 캄파나, 너 없이 살기 위해

〈예-350〉 구노, 파우스트

〈예-351〉 베르디, 일 트로바토레

〈예-352〉 로시니, 세빌랴의 이발사 95)

상위 보조음이 순차적으로 몇 차례 반복될 때, 악센트를 주어야 한다.

〈예-353〉 로시니, 윌리엄 텔

95) 베버의 〈무도회의 권유〉 서주와 로시니의 〈예-362〉를 참고하라.

〈예-354〉 마이어베어, 로베르트

〈예-355〉 도니제티, 루치아

위의 예시에서 표현 악센트는 실제로 매우 강하고 단호하다. 거기에는 억눌린 듯한 애절함과 숨이 멎을 듯한 압박감 같은 것이 스며있다. 표현 악센트가 이렇게 강하게 강조되는 주요한 경우는 다음과 같다.

1. 반복음이 특수하게 여러 번 순차적으로 출현할 때

〈예-356〉 스트라델라, 아베 베룸 (예-346)

2. 악한 악구의 끝에서 2번째 음이 반음계적 상·하위 보조음일 때

〈예-357〉 로시니, 윌리엄 텔

〈예-358〉 벨리니, 노르마

3. 3박자에서 3분박 중 제1박에 쉼표가 여러 번 출현할 때

〈예-359〉 존 필드, 녹턴 5번

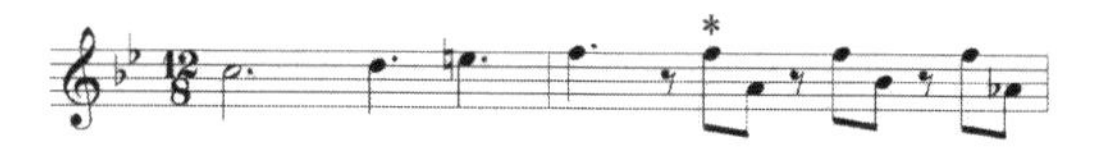

〈예-360〉 베토벤, 방앗간의 여인La Molinara 주제에 의한 6개의 변주곡 중 4번

John Field,
Nocturne No. 5

Beethoven, 6 Variationen on "Nel cor più non mi sento" from La Molinara.

3. 조성 · 선법적 특수성

다음 3가지 조건에서 모든 반음계적인 음들, 그리고 선율이 구성되는 조나 선법과 이질적인 모든 음에 악센트가 붙는다. (1) 해당음이 긴 음일 때, (2) 긴 음이면서 또한 상·하위 보조음이거나 더 높은음일 때, (3) 악구의 끝에서 2번째 음일 때. 96)

---

96) 선율의 완벽한 대칭적 진행에는 필요하지만 표현적이지는 않은 ♯이나 ♭이 붙은 음에 악센트를 주면 안 된다.

〈예-361〉 보이엘디외Boieldieu, 담 블랑슈Dame Blanche

〈예-362〉 로시니, 윌리엄 텔

〈예-363〉 니더마이어Niedermeyer, 마리 스튜어트

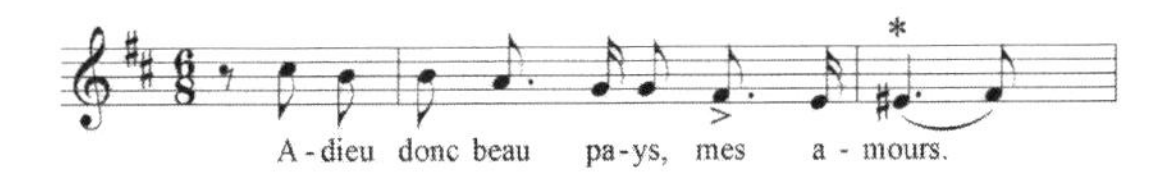

〈예-364〉 벨리니

〈예-365〉 오베르Auber, 프라 디아볼로Fra Diavolo

〈예-366〉 마이어베어, 아프리카의 여인 97)

97) 토마 A. Thomas의 〈미뇽의 노래〉에서 끝에서 2번째 마디를 참고하라.

그룹에서 짧은 반음계적 음들은, 그것이 스케일 형태이든 아르페지오 형태이든, 악센트를 주면 안 된다. 그러나 으뜸음을 이동하거나 선법을 변화시키는 모든 음과 패시지에 악센트를 주어야 한다. 여기에는 선율과 반주에 최소한 하나의 새로운 ♯이나 ♭을 추가해야만 일어날 수 있는 모든 전조가 포함된다. 관련하여 몇 가지 특별한 언급을 하는 게 좋겠다.[98]

전조는 으뜸음이나 선법의 변화, 또는 둘을 동시에 변화시키는 것을 의미한다. 전조는 음들의 기존 기능을 박탈하고 새로운 기능을 부여하며, 듣는 이에게 새로운 안식처와 끌어당김의 중심을 제공한다. 전조는 논리적인 만족을 느끼며 욕망하는 음들의 기능성을 빼앗아 듣는 이에게 다른 음들을 강요함으로써 음악적인 귀를 놀라게 한다. 분명 이러한 대체는 투쟁 없이 일어날 수 없다. 듣는 이는 아무런 저항 없이 새로운 으뜸음의 끌어당김에 굴복하고자 하지 않으며, 내키든 내키지 않든 새로운 으뜸음의 궤도로 휩쓸려 갈 때까지 원조를 고수하고자 한다.[99] 새로운 조가 원조에서 더욱 멀어지며 더욱 낯선 음들이 도입될수록, 전조에는 더 큰 노력이 요구된다. 변화가 너무 원격조이거나 너무 갑작스러울 경우, 듣는 이는 충격을 받으며 실제로 새로운 으뜸음을 수용하게끔 격렬히 강요받는다.

<예-367>

98) *Exercisese de Piano* 의 전조 챕터, 65쪽을 참고하라.

99) 이 책의 31쪽의 설명을 참고하라.

〈예-368〉 존 필드, 녹턴 5번

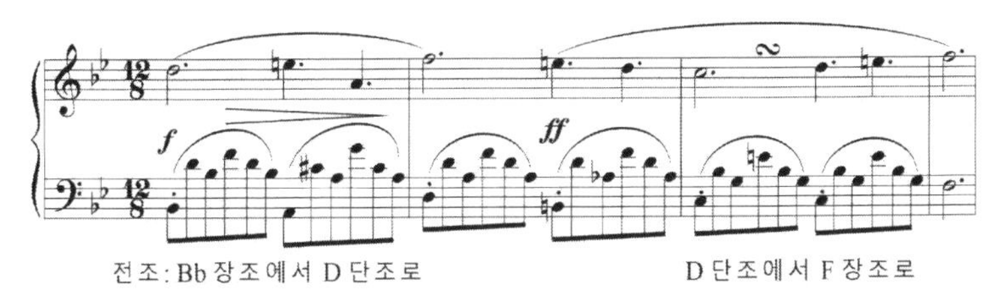

〈예-369〉 오베르, 행복한 하루 Un Jour de Bonheur

〈예-370〉 베토벤, 비창 소나타, 2악장, Op. 13

〈예-371〉

위의 〈예-371〉에서 조는 G단조에서 그것의 관계조인 B♭장조로 전조된다. 우리는 익숙한 조와 선법을 잃었을 뿐만 아니라 이전 악구와 관련 없는 B♮조의 출현으로 위협을 받는다. 제5마디의 증6화음 G♭-B♭-D♭-E♮는 B♮조의 딸림7화음으로, 자연히 F♯-B♮-D♯으로의 해결이 기대된다. 그러나 G♭-B♭-D♭-E♮ 화음은 실제로 B♮보다 반음 낮은 B♭으로 우리를 몰아넣는다.[100] 이러한 갑작스러운 변화에 놀라지 않기란 불가능하다. 이것의 미학적 효과는 마치 몸이 시칠리아에서 시베리아로 갑자기 이동해 버린 것 같은 느낌에 가깝다.

---

100) 이 책의 227쪽, "증6화음"을 참고하라.

증·감 음정을 이루는 음들은 일반적으로 단조에 속하지만, 길이가 길면 악센트를 주어야 한다. 따라서 증2·5·6도, 또는 감3·4·7도는 모두 악센트가 붙는다. F-B의 증4도와 B-F의 감4도 또한 마찬가지다. 하지만 이 두 음정은 장조에도 단조에도 동일하게 속할 수 있다.[101]

〈예-372〉

〈예-373〉 노르마 중 카스타 디바

〈예-374〉 니더마이어, 호수Le Lac

101) 이유는 간단하다. 장조에는 증4도와 감5도가 단 1개 있어 드물게 출현하며 큰 인상을 남긴다. 이 극단적인 음정에서 B는 ♯의 모델이고, F는 ♭의 모델이다.

〈예-375〉 로시니, 윌리엄 텔

〈예-376〉 슈베르트, 세레나데

〈예-377〉 니더마이어, 마리 스튜어트

반음계적 음과 증·감 음정은 단음계에 속하지만, 강력하게 표현되어야 한다. 이명동음 패시지의 경우 더욱 그렇다. 이때 목소리는 사라져가는 조성을 고수하려는 노력으로 거의 지쳐가는 것처럼 들린다. 빅터 마세Victor Massé의 〈피그말리온〉의 노래를 참고하라.

〈예-378〉 메르카단테

〈예-379〉 베토벤, 비창 소나타, 2악장

음악에 있어 가장 웅장하고 숭고한 것들 중 하나인 위의 패시지에서, 베토벤은 피아노의 평균율 체계로 낼 수 있는 가장 부드러운 조에서 가장 힘찬 조까지, 즉 A♭단조에서 E장조까지 이명동음적으로 전조한다. 분명 이 두 조 사이에는 어떤 종류의 연결성도 친화력도 없지만, 피아노에서 E는 F♭과 같은 건반이고, F♭은 A♭단조의 버금가온음이며, 이러한 버금가온음을 통한 전조는 매우 빈번하다. 그러나 이 새로운 조는 이전 조보다 ♭이 4개 더 많거나, ♯이 4개 더 적다. 새로운 조의 두 주요음, 즉

으뜸음과 딸림음이 이전 조에서 단조 화음인 가온음과 버금가온음이기에, 이러한 전환이 가능하다.

4. 화성적 특수성

이 주제를 이해하려면 화성에 대한 어느 정도의 지식이 필요하다. *Excercises de Piano*, 49쪽의 화성 음계에 대한 설명을 읽어 보기 바란다. 여기에 짧은 요약을 싣는다.

장·단 음계의 음들을 3도 간격으로 나란히 늘어놓을 때, 이를 화성 음계라고 한다. 즉, C장조의 화성 음계는 C, E, G, B, D, F, A, C이고, C단조의 화성 음계는 C, E♭, G, B, D, F, A♭, C이다. 화성 음계는 어떤 음계나 조에서 사용되는 화음을 찾는 데 매우 유용하다. C장조 곡에서 거의 독점적으로 사용되는 화음은 C-E-G, G-B-D-F, F-A-C, 또는 F-A-D이다. A단조 곡이라면, A-C-E, E-G♯-B-D, D-F-A, 또는 D-F-B가 주로 사용된다. 낮은 으뜸음에서 쌓아 올리는 화성 음계는 가장 많이 사용하는 모든 화음을 제공한다.

(1) 화성 음계의 처음 3개 음은 으뜸화음, 즉 제1주요화음을 이룬다. 제1화음은 곡을 끝맺으며, 귀에 완전한 휴식감을 준다. (2) 제1화음의 3번째 음을 근음으로 하여 그다음 3개의 화성 음을 추가하면, G-B-D-F 즉, 2번째로 중요한 제2화음인 딸림7화음을 얻는다. 제2화음은 4개의 음으로 구성되며, 거의 항상 곡의 종지 직전 화음으로 쓰인다. 제2화음은 으뜸화음을 기대하는 욕망으로 귀를 가득 채운다. 왜냐하면 딸림7화

음의 제7음은 불협음이고, 이 부조화가 최종적인 휴식감을 방해하기 때문이다. ⑶ 제2화음의 4번째 음을 근음으로 하여 그다음 2개의 화성음을 추가하면, F-A-C 즉, 3번째로 중요한 제3화음인 버금딸림화음을 얻는다.

이 3개의 화음 외에도, ⑷ 윗으뜸음의 제1전위 화음을 종종 만나게 된다. 예를 들어, C장조에서 D-F-A의 제1전위인 F-A-D, A단조에서는 D-F-B가 해당한다. 이 제4화음은 버금딸림화음의 마지막 음을 2도 위의 음으로 대체하면 얻어진다. 즉, C장조의 버금딸림화음(제2화음) F-A-C에서 마지막 C를 D로 바꾸면 F-A-D 제4화음이 만들어진다. D장조에서는 G-B-D(제2화음)의 D가 E로 대체되어 G-B-E(제4화음)가 만들어지고, E장조에서는 A-C♯-E(제2화음)의 E가 F♯으로 대체되어 A-C♯-F♯(제4화음)이 만들어진다. 요컨대, D장조의 4가지 주요화음은 ⑴ 제1화음 D-F♯-A, ⑵ 제2화음 A-C♯-E-G, ⑶ 제3화음 G-B-D, ⑷ 제4화음 G-B-E이고, E장조에서는 ⑴ E-G♯-B, ⑵ B-D♯-F♯-A, ⑶ A-C♯-E, ⑷ A-C♯-F♯이다. 다른 모든 음계의 주요화음도 이와 같다.

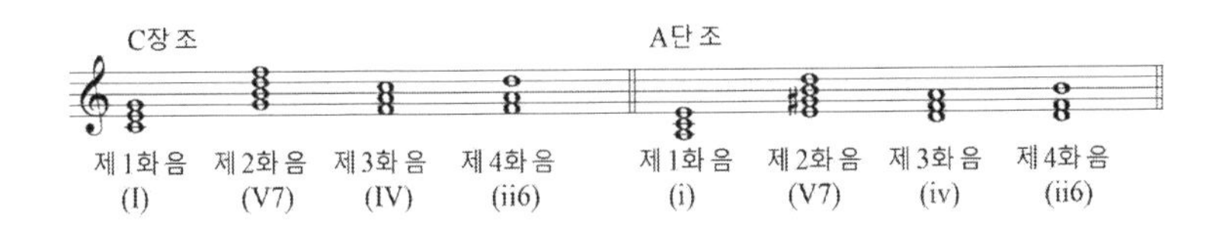

이 4개의 화음은 장·단조 모든 선법에서, 기본 위치이든 전위이든, 기초적인 단순한 음악 구성에 사용되는 거의 유일한 화음들이다. 또한 이 4개 화음은 표현 악센트를 요구하지 않는 유일한 화음들이다. 나머지 모든 화음은, 특히 그 길이가 길게 지속될 때, 악센트와 힘을 요구한다. 그렇지 않을 수가 없다. 곡의 원조에서 이질적인 음들로서 이해되는 그 밖의 화음들은 기존 으뜸음을 대체하는 경향이 있기에, 다른 새로운 조에서 더욱 중요한 역할을 한다.

따라서 원조에 속하지 않는 임시표, ♯, ♭, ♮을 포함하는 모든 화음은 악센트를 주어야 한다.102) 이제 반음계적 음을 포함하며 악센트를 필요로 하는 화음들을 살펴볼 것이다.

1) 반음계적 변화가 동반된 윗으뜸음 7화음

우리는 종종 제4화음이 F-A-D 대신 F-A-D♯이나 F♯-A-C-D♯과 같이 반음계적으로 변화한 것을 만난다. 더욱이, 이 화음은 윗으뜸음에서 쌓은 제7음, 즉 제3화음의 최고음(제5음)을 포함하기도 한다. 이 경우, 특히 그 화음의 길이가 길 때 매우 강력하게 표현된다. (변화음들이 온음계에서 제2음과 제4음이라는 점, 즉 C장조에서 D♯과 F♯이라는 점을 직시하라.)

베토벤의 〈예-380〉에서 첫 번째 화음은 잘못 기보되었다. C♭이 아닌 B♮이 되어야 한다. C♭과 B♮이 피아노에서 같은 소리이므로, 상관없다

102) 임시표의 음이 반음계인지, 악구의 조와 다른 조인지, 아니면 단지 조표를 잘못 적은 것인지 알아내야 한다. 이런 점에서 조표는 매우 중요하며, 작곡가가 이 문제를 간과하는 것은 잘못이다. 조가 바뀌어 원조가 아닌 다른 조에서 어느 정도 패시지가 진행된다면, 이전 조표를 실제 사용된 조의 조표로 바꾸어야 한다. 예를 들어, ♯ 2개의 D장조로 시작하는 〈Zampa〉 서곡에서 플레이어[Prayer]는 B♭조를 도입한다. 작곡가는 제16마디까지 D장조의 조표를 유지함으로써 수많은 ♭과 ♮을 사용할 수밖에 없게끔 강요한다. 그러나 조표를 B♭조로 바꾼다면, 단 하나의 임시표도 필요 없다. 이런 경우, 화음이 임시표의 강요를 받을 필요가 없다.

고 말할 수도 있다. 그러나 이는 잘못이다. 이론적으로나 실제적으로나, B♮은 C♭과 완전히 다른 역할을 한다. 그것은 D♭ 단조에서 A♭과 B♭♭ 대신 A♭과 A♮을 쓰는 것만큼 부정확한 것이다.

〈예-380〉 베토벤, 피아노 소나타 12번, 1악장 Var. 4, Op. 26

〈예-381〉 리스버그, Op. 57

〈예-381〉에는 반음계적으로 변화한 제4화음이 두 차례 출현한다. 2중으로 반음계적 변화를 동반하는 윗으뜸음 7화음은, 그 화음이 긴 음가이고 약한 악구의 끝에서 2번째 화음일 때, 특히 악센트가 붙는다.

〈예-382〉

〈예-383〉 베토벤, 피아노 소나타 12번, 1악장 Theme, Op. 26

〈예-384〉 베토벤, 월광 소나타, 2악장, Op. 27, No. 2

2) 감7화음 [vii$_7^{\circ}$] [103]

이 화음은 단음계의 제7음, 즉 이끈음을 근음으로 하여 그 위에 그다음 화성 음계 3개 음을 추가한 것이다. 예를 들어, C단조의 감7화음은 B♮-D-F-A♭이고, A단조의 감7화음은 G♯-B-D-F이다. 최저음에서 최고음까지(B♮~A♭, G♯~F) 감7도를 이루기에, 감7화음이라고 부른다.

〈예-385〉

103) [역주] 화음 명칭 다음 [---] 안의 화음기호는 모두 역자에 의한 것임. 이후 동일.

〈예-386〉

〈예-385〉에서 화음 G♯-B-F♮은 사실 D장조 윗으뜸음 7화음이 2중으로 반음계적 변화한 화음이다. 그것은 A단조의 감7화음이 아니다. 왜냐하면 A-D-F♯은 F♮이 아닌 E♯으로 해결되어야 하기 때문이다. 같은 원리가 다음 예시의 제5마디 첫 번째 화음에도 적용된다.

〈예-387〉 베토벤, 피아노 소나타 12번, 트리오, Op. 26 104)

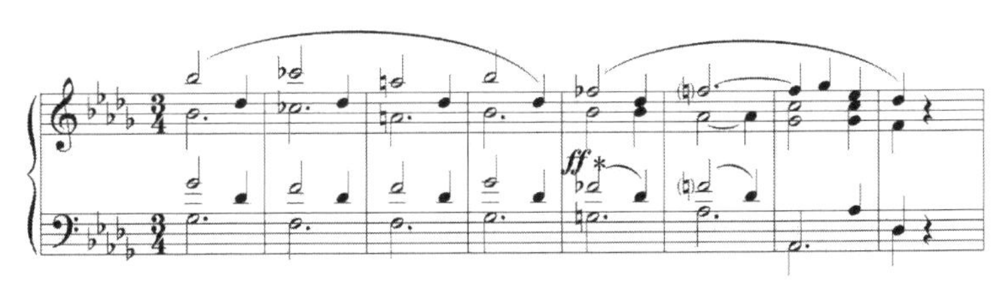

〈예-388〉 쿨라우, 미뉴에트

104) 비창 소나타의 처음 4마디도 참고하라.

3) 단조의 윗으뜸음 7화음[$\text{ii}_{7}^{\varnothing}$]

이 화음은 단음계의 제2음, 즉 윗으뜸음을 근음으로 하여, 그 위에 그 다음 화성 음계 3개 음을 추가한 것이다.105) C단조의 윗으뜸음 7화음은 D-F-A♭-C이고, A단조의 경우, B-D-F-A이다.

〈예-389〉 도니제티, 파보리타

〈예-390〉 모차르트, C단조 판타지아, K. 475

105) [역주] 이 화음은 '반감7화음'을 이룬다.

〈예-391〉 베버, 오베론

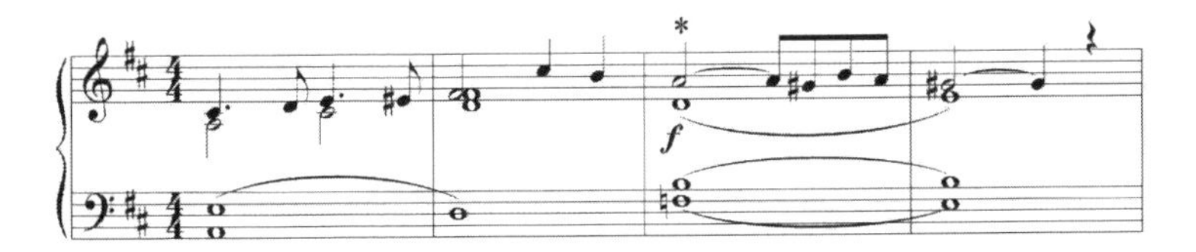

〈예-392〉 멘델스존, 결혼행진곡

4) 증 6화음[German 6th]

이 화음은 단조의 버금가온음, 즉 음계의 제6음을 근음으로 하여, 그 위에 그다음 화성 음계 2개 음을 더하고, 여기에 보태어 근음에서 증6도 위의 음을 추가한 것이다. 따라서 C단조의 증6화음은 A♭-C-E♭-F♯이고, A단조의 증6화음은 F-A-C-D♯이다. 사실, 이 화음은 222쪽에서 언급한, 근음이 반음계적으로 변화된 제4화음의 제1전위와 같다. 즉, C장조의 제4화음 D-F-A-C가 제1전위 되어 F-A-C-D가 되고, 근음 D가 반음계적으로 변해 F-A-C-D♯가 된 것이다. 피아노에서 증6화음은 딸림7화음과 음정 구조가 같다는 점을 직시해야 한다. 즉, 딸림7화음이 이명동음적으로 증6화음으로 간주되어, 예상치 못한 놀라운 방식으로 해결될 수 있다.[106] 같은 방식으로 증6화음은 딸림7화음으로 간주될 수 있으며, 기보된 음이 암시하는 것과 아주 다른 방식으로 해결될 수 있다.

〈예-393〉 하이든

〈예-394〉 베토벤, 비창 소나타, 1악장

〈예-395〉 모차르트, 피아노 소나타 11번, 트리오, K. 331

5) 증 4 · 6화음[French 6th]

이 화음은 앞의 증6화음과 같이 단조의 버금가온음, 즉 제6음을 근음으로 하여, 그 위에 그다음 화성 음, 그리고 근음에서 증4도, 증6도 위의

---

106) 이 책의 216쪽을 참고하라.

음을 추가한 것이다. 따라서 C단조의 증4·6화음은 A♭-C-D-F♯이고, A단조의 증4·6화음은 F-A-B-D♯이다. 사실, 이 F-A-B-D♯ 화음은 C장조의 제7음, 즉 이끈음의 제2전위가 반음계적 변화를 동반한 것이다. 즉, C장조의 이끈음 7화음(반감7화음; 역주) B-D-F-A가 제2전위되어 F-A-B-D가 되고, 여기서 D가 D♯으로 변한 것이다.

〈예-396〉 베토벤, 비창 소나타, 3악장

〈예-397〉 리스버그

6) 단조의 증 5화음[III^{+}]

이 화음의 근음은 단음계의 제3음, 즉 가온음이고, 그 위에 그다음 화성 음 3개를 추가한 것이다. 즉, C단조의 증5화음은 E♭-G-B♮이고, A단조의 증5화음은 C-E-G♯이다. 이 화음은 단음계에서 기원하지만, 단조에서는 사용되지 않으며, 단지 관계 장조에서 출현한다.

〈예-398〉 고데프로이드Godefroid

〈예-399〉 로시니, 윌리엄 텔

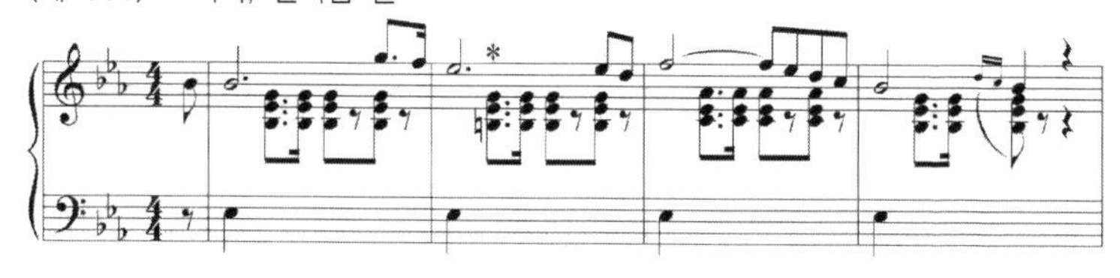

7) 증5도를 포함하는 딸림7화음[V_7^+]

딸림7화음이 때때로 증5도 음정과 함께 출현하기도 한다.

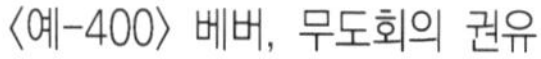

〈예-400〉 베버, 무도회의 권유

〈예-401〉 베토벤, 비창 소나타, 3악장

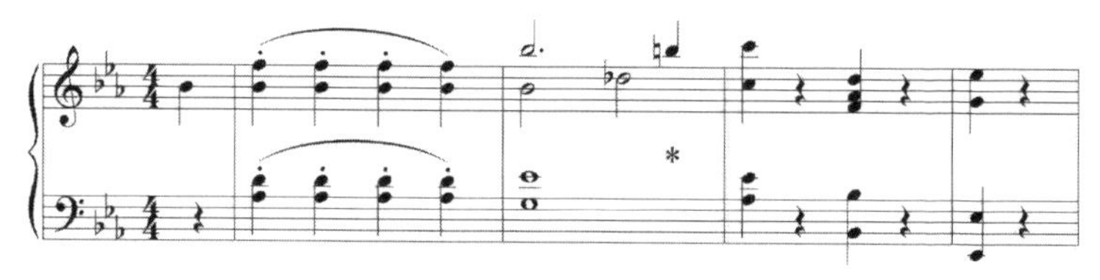

8) 장 · 단 9화음[V_9]

이 화음은 단지 딸림7화음에 장3도 또는 단3도가 추가된 것이다.

〈예-402〉

위의 예시에서 제3마디의 * 표시된 화음 A♭-C-E♭-A♮는 명백히 잘못 기보되었다. A♭을 B♭♭으로 바꿔야 한다.

9) 계류음

앞서 182쪽에서 귀가 휴식을 갈망하는 종지음의 출현을 지연시키는 모든 음에 악센트를 주어야 한다고 했다.

〈예-403〉 베토벤, 월광 소나타, 3악장

위의 예시에서 제2마디 G♯, 제3마디의 A♯, 제4마디의 B는 계류음, 내지 사실상 전타음이기 때문에 생략할 수 있다. 이 세 음은 불협을 이루며, 더욱이 약한 악구의 끝에서 2번째 음이기에, 큰 힘을 받는다.107)

〈예-404〉 쇼팽, 마주르카, Op. 6, No. 4

〈예-405〉 베토벤, 비창 소나타, 2악장

107) 이 책의 116쪽과 183쪽을 참고하라.

Beethoven, Sonata quasi una Fantasia, "Moonlight"

Chopin, Mazurka in E flat minor Op. 6, No. 4

10) 불협화음

다음의 경우, 불협화음이 생긴다. (1) 7화음이나 9화음이 전위될 때, (2) 화음의 반음계적 변화나 비화성음으로 인해, (3) 하나 이상의 음이 계류될 때, (4) 하나 이상의 음이 선행할 때, (5) 지속음에 의해, 불협화음이 생긴다. 화음이 전위되어 장·단 2도(온음 또는 반음) 음정이 생길 때마다, 불협음이 발생한다. 2도 음정은 불협화를 이루고, 3도 음정은 협화를 이룬다.

우리는 앞서 214~215쪽에서 모든 원격조로의 전조가 귀에 강제력을 가한다는 것을 보았다. 같은 원리가 긴 음가의 불협화음에도 적용된다. 화음에 포함된 음이 더 이질적일수록, 소리가 더욱 거칠고 불협화적이며, 더욱 큰 힘을 요구한다. 귀는 그것들이 격렬하게 밀어붙일 때까지 그 불협화음을 수용하지 않을 것이다.

〈예-406〉 모차르트, 미뉴에트

가장 대담하고 아름다운 불협화음 중 하나는 베토벤의 월광 소나타 1악장 중 다음 패시지이다. 이러한 감동에는 어떤 힘과 압력이 요구되는가?

〈예-407〉 베토벤, 월광 소나타, 1악장

〈예-408〉

5. 실습

작품을 독보하고 그것을 연주하기 전에, 항상 그 안의 표현적 요소, 즉 박자·악구·조·선법 등에서 특수한 음들을 살펴야 한다. 바꿔 말해, 당김음, 이례적으로 길거나 짧은 음, 반복, 상·하위 보조음, 반복음, 반음계적인 음, 음정과 화음, 저음을 대체하는 고음, 진행 방향이나 악구 구조를 바꾸는 음, 계류음과 전타음 등이다. 악센트를 요구하는 음과 패시지를 찾아 그 음들에 악센트, 마침표, 콤마, *f*, *sf*, *ff*, *p*, *pp*

등을 표시하고 잘못된 표현기호를 수정해야 한다.

빠른 템포의 곡이라면 표현 악센트는 세심하게 피해야 한다. 표현 악센트는 느리거나 보통 빠르기의 열정적이고 표현적인 곡에서 사용해야 하지만, 항상 조심스럽게 절제하여 사용해야 한다. 변화 없는 단순한 곡에 표현 악센트를 과하게 주는 것만큼 가식적인 연주는 없을 것이다.

제7장

감정적 요소

1. 아첼레란도
2. 랄렌탄도와 리타르단도
3. 실습

제7장 감정적 요소

이제 우리는 이 주제의 가장 어려운 부분에 접어들었다. 서로 정반대의 원칙을 주장하는 두 학파를 마주하게 되기 때문이다. 한 학파는 아첼레란도나 리타르단도가 없는 균일한 템포를 지향하고, 다른 학파는 리듬악구 변화에 따라 속도를 당기거나 늦추어야 한다고 주장한다. 전자는 규칙적이고 기계적인 정밀성을 완벽한 가치로 여기고, 후자는 악구마다 속도를 조절하는 불규칙성을 불편하게 느끼지 않는다.

결론은 이렇다. 이 장에서 우리는 규칙적이고 균일한 템포를 옹호하는 이들이 표현 감각이 없는 것임을 밝힐 것이다. 진정한 거장에게는 장애물이나 기술적 어려움이 있을 수 없으므로 그 어떤 것도 그의 연주를 막을 수 없고, 따라서 템포를 조절할 이유도 없다는 것이 그들의 생각이다. 언뜻 그럴듯해 보이지만, 실제로는 근거 없는 주장이다. 이는 기술적 어려움의 문제가 아니라 음악적 느낌을 일으키거나 잠재우는 미학적 난관에 관한 문제이다. 예술가가 모든 기술적 어려움을 극복했다고 하여, 그가 연주하는 곡의 조, 선법, 박자 또는 리듬악구의 모든 변화에 무심해야 하는 건 아니다. 배럴 오르간Barrel-organ[108]은 이러한 속도 변화를 줄 수 없으며, 이것이 바로 이 기계 장치에 의한 음악이 단조롭고 시적이지 않은 이유이다.

여기서 두 극단이 부딪힌다. 음악적 감각이 없는 이들은 엄격한 심미주의와 차가운 아케이즘archaism[109]을 고수하기 위해, 정서적 표현성을 완벽한 메커니즘과 사소한 다이내믹의 준수에 희생시킨다. 그러나 우리는 보편적 요구와 개별적 표현 권리를 만족시킬 수 있는 중용juste-milieu의 지점을 찾아야 하며, 이는 비판적 판단력과 예술적 미감에 의해서만 가능하다.

프레스토, 알레그로, 갤럽, 왈츠 등과 같은 빠른 곡에서는 일정한 템포를 유지하는 것이 자연스러우며, 단지 힘과 추진력이 약해지거나 구조적으로 분명한 변화가 있을 때만 속도를 늦추는 편이 좋다. 그리고 녹턴, 론도, 몽상곡, 안단테, 아다지오, 로망스 등과 같이 느리고 표현적인 곡에서도 같은 방식으로 템포를 조절하는 것이 자연스럽다. 이러한 곡에서는 악구의 표현적인 변화나 상·하행 진행이 나타나는 곳에서 감정의 변화에 따라 아첼레란도와 랄렌탄도를 적용한다. 리듬적·화성적·표현적 변화로 가득 찬 곡을 획일적인 템포로 연주하는 것은 음악의 모든 특징을 파괴하고 시적인 표현을 박탈하는 것과 같다. 반면, 빠른 곡을 계속 템포 변화하며 연주하는 것도 음악의 영혼과 생명을 빼앗는 것이다. 이 책에서는 유명 예술가들이 템포 변화를 자주 사용하는 패시지의 예시를 제시할 것

108) [역주] 배럴 오르간은 지정된 프로그램의 소리만 재생하는 기계적 오르간으로 표현적인 연주를 할 수 없다. 흔히 길거리 오르간 또는 손풍금이라고 한다.

109) [역주] 고대 예술을 모범으로 삼아 부활시키려는 사조. 의고주의(擬古主義)라고 함.

이다. 이를 따를지 말지는 스스로 결정하기 바란다.

경험적 원리와 규칙을 설명하기 전에 먼저 이 주제에 대한 유일한 실용적 지침을 소개한다. 이는 체르니의 피아노 교본에 실려있다. 그 밖의 다른 교재에는 감정적 요소, 뉘앙스, 템포 변화, 박자와 리듬악구, 그리고 악센트 표현에 관한 실용적인 고찰을 조금도 발견하지 못했다. 따라서 다음 인용을 제외한 이 책의 모든 지침은 다른 어디에서도 찾을 수 없는 이 책만의 독보적인 내용이다.

체르니 교본의 제3부, 21쪽을 보면, 리타르단도 또는 랄렌탄도는 다음 11가지 경우에 사용된다고 했다. (1) 주요 주제가 재현될 때, (2) 선율에서 악구를 분리할 때, (3) 강한 악센트를 받는 긴 음에서, (4) 박자가 변할 때, (5) 쉼 뒤에, (6) 빠르고 활기찬 패시지의 디미누엔도에서, (7) 장식적인 음들을 정확한 템포*tempo giusto*로 연주할 수 없을 때, (8) 중요한 패시지에서 도입이나 결말의 역할을 하는 크레센도가 있을 때, (9) 작곡가나 연주자가 자유로운 상상을 펼 수 있는 패시지에서, (10) 작곡가가 *espressivo* 라고 써넣은 패시지에서, (11) 트릴이나 종지 끝에서.

그 밖에 체르니 교본에는 "칼란도calando, 스모르잔도smorzando[110] 등도 리타르단도의 의미로 사용된다. 아첼레란도는 상행 악구에 요구되며, 열정과 동요를 암시한다."라고 쓰여있다. 이러한 규칙들은 악곡의 어려움을 극복할 수 있는 감정적 요소로 연주자들을 안내하는 것들이다.

이제부터 체르니의 규칙을 보완하고 수정할 것이다. 앞서 31쪽과 191쪽에서 언급한 내용을 다시 반복한다. 표현 악센트가 하나 이상의 연속된 음에서 나타날 때마다, 음악가의 감정은 극복해야 할 장애물에 자극받으며,

---

110) [역주] *calando* 와 *smorzando* 는 '점점 느리면서 여리게'라는 뜻.

활기와 열정을 얻거나, 또는 가라앉힌다. 템포가 더 빨라지거나 더 느려진다. 즉, **감정적 요소**가 적정 템포에 치명적인 손상을 입히며 규칙성을 파괴한다. 그러나 음악은 이와 반대로 생명력과 표현성을 얻게 된다.

따라서 표현 악센트, 감정적 요소 및 뉘앙스는 서로 불가분의 관계에 있다. 악센트 에너지를 부여하며 고투하지 않고서는 템포의 생명력을 얻을 수 없고, 이에 따른 템포 변화가 수많은 뉘앙스와 음색의 대조를 이끌어낸다. 사실, 육체적으로도 정신적으로도 모든 상승은 인간의 본성적인 추락에 맞서 더 높은 단계로 올라서려는 분투를 의미한다. 경사가 가파르고 장애물이 많을수록 그만큼 노력도 더 커야 하며, 노력이 커질수록 심장박동이 빨라지고 더 쉽게 탈진할 것이다. 그러나 정상에 도달하면 만족감과 안도감이 들며, 승리의 행복감 속에 자유롭게 숨 쉴 수 있다. 이러한 비유는 모든 음악가가 상행 악구의 시작에서 속도를 당기고 악구 끝에서 속도를 늦추는 자연스러운 경향을 명쾌하고 합리적으로 설명해 준다. 또한 고음에 머물면서 끌어당기는 경향도 잘 설명해 준다.

반면, 하강은 육체적으로나 정신적으로나 본능적으로 낮은 곳에 도달하려는 경향이다. 하강 속도는 하강의 폭과 균일성에 비례한다. 따라서 하행 패시지에서 서둘러야 할 것처럼 느껴져도 결국 연주자는 자제력을 잃지 않기 위해 오히려 속도를 늦춰야 한다고 생각한다. 그러나 균일하고 유사한 그룹의 하행 운동이 곡의 끝에서 나타날 경우, 조금 급하게 연주해도 전체적인 악구와 앙상블의 조화가 손상되지 않는다.[111)]

음악적 구성은 여행자가 통과하는 지형에 비교할 수 있다. 길이 매끄럽다면 발걸음이 규칙적일 것이다. 그러나 도랑과 둑, 거친 장소와 언덕이

---

111) 이 책 248쪽의 6번과 252쪽, 6번을 참고하라.

길을 막고 있다면, 발걸음과 속도가 불규칙할 것이다. 마치 여행자가 땅의 성질에 따라 걸음걸이를 조절하듯, 음악가도 상・하행 악구 구조, 화성적 변화와 기복에 따라 템포를 조절할 것이다. 이러한 유추로부터 다음의 결론이 도출된다.

○ 다음 3가지 경우, 속도가 점점 빨라져야 한다.112)

1. 여러 표현적인 음이 연속적으로 이어지거나, 악구의 시작이나 중간에 특별히 긴 음가의 단일 음이 출현하는 곳.

2. 상행 또는 하행 진행 후, 여러 음 또는 유사한 음들의 그룹이 출현하는 곳.

3. Andante나 Adagio 곡 중간에서 흥분과 열정을 유도하는 특별한 패시지가 출현하는 곳.

○ 다음 4가지 경우, 속도가 점점 느려져야 한다.113)

1. 표현적 음들이 그에 필요한 추진력을 줄 적당한 시간 없이 연속적으로 악구의 시작에 갑자기 출현하는 곳.

2. 연속적인 상행 또는 하행 진행으로 인해 힘이 소진되는 곳.

3. Allegro 곡 중간에, 고요・엄숙・슬픔으로 변하는 더 복잡하거나 표현적인 구조의 특별한 패시지에서.

4. 표현적인 음이나 패시지, 반복적인 음들, 악구 끝의 상위 보조음에서.

이러한 원칙을 적용하기 전에, 음들에 표현성을 부여하는 랄렌탄도와 아첼레란도가 다음 4가지 사항에 의존한다는 점을 기억해야 한다.

---

112) [역주] 이어지는 "1. 아첼레란도" 편에서 차례로 예시를 들어 설명한다.

113) [역주] 이어지는 "2. 랄렌탄도와 리타르단도" 편에서 차례로 설명한다.

1. 위치에 따라 다르다. 어떤 음이 특별히 여러 번 연속 반복될 때, 악구의 시작에서 점점 빨라지고, 악구의 끝에서 점점 느려진다. 상위 보조음은 악구의 시작과 끝에서 모두 점점 느려져야 한다.

2. 곡의 전체적 구조에 따라 다르다. 특수하게 상행 또는 하행 시퀀스를 지닌 악구는 아첼레란도와 랄렌탄도가 필요하지만, 곡이 전체적으로 상승 또는 하강의 구조라면 아첼레란도나 랄렌탄도를 사용해서는 안 된다.

〈예-409〉 오베르, 행복한 하루

그러나 하강 구조의 곡에서, 처음 악구가 반복되며 반주가 더 활기차게 변한다면, 다음과 같이 아첼레란도 해야 한다.

〈예-410〉

3. 성부 수에 따라 다르다. 독주 주자는 적정 템포를 주체적으로 자유롭게 바꿀 수 있지만, 이것이 오케스트라에서는 허용되지 않는다. 오케스트라의 모든 주자는 통일된 결과를 위해 자기 자신을 지워야 하며, 특정 부분에서 일어날 수 있는 어떠한 감정적 요소도 희생해야 한다.

4. 가사의 의미에 따라 다르다. 슬픔이나 우울감을 표현하는 단어는 일반적으로 기쁨, 행복, 성취를 표현하는 단어보다 더 느리게 노래해야 한다.

1. 아첼레란도

1) 특별히 긴 단일음 또는 연속적인 표현적 음들

1. 특별히 긴 음

〈예-411〉 모차르트, 나의 보물Il mio tesoro (예-294)

〈예-412〉 독일 노래, 부재L'Absence (예-295)

2. 악구의 시작이나 중간에서 특별히 여러 번 반복되는 음들

〈예-413〉 도니제티, 라 파보리타 114)

특별하게 긴 음과 반복음이 당김음일 때, 또는 베이스에서 상행 또는 하행 진행으로 반주될 때, 그 음은 큰 활기를 주어야 한다.

〈예-414〉 마세Victor Massé, 자네트의 결혼식Noces de Jeannette

114) 196쪽, 〈예-298〉과 197쪽, 〈예-299〉도 참고하라.

〈예-415〉 모차르트

3. 베이스가 상행 또는 하행 진행할 때 특별하게 반복되는 음그룹

〈예-416〉

〈예-417〉 벨리니, 노르마

그러나 베이스가 안정적이면, 아첼레란도 하지 않는다.

〈예-418〉 베버, 오베론 115)

115) 쇼팽의 마주르카, Op. 6, No. 4, No. 5도 참고하라.

4. 상위 보조음이 악구의 시작에서 여러 차례 반복될 때

〈예-419〉 베버, 오베론

〈예-420〉 벨리니, 노르마

5. 악구의 시작이나 끝에서 전조가 나타날 때 116)

〈예-421〉 베토벤, 비창 소나타, 2악장

위의 예시에서 제3마디는 다음 5가지를 모두 포함하는 복잡성으로 인해 매우 심오한 표현성을 요구한다. (1) 딸림조로의 전조, (2) 8분음표의 짧은 선율리듬, (3) 상행하는 주선율, (4) 상행하는 내성, (5) 주선율과 반진행하는 베이스.

116) 215쪽, 존 필드의 녹턴 5번 〈예-368〉을 참고하라.

6. 악구 끝에서 짧은 음가의 하행 음형 다음 긴 음이나 높은음이 뒤따를 때

〈예-422〉 베버, 오베론

〈예-423〉 쇼팽, 마주르카, Op. 7, No. 2 117)

7. 짧은 음을 포함하는 단순하고 균일한 코데타에서

〈예-424〉 모차르트, 판타지아

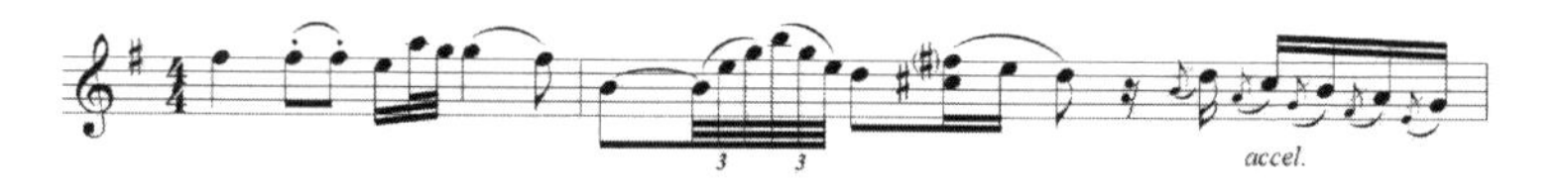

〈예-425〉 오베르, 프라 디아볼로 118)

117) 95쪽, 〈예-83〉의 제3~4마디도 참고하라.

118) 모차르트, 피아노 소나타 11번, Var. 5, 제8~9마디도 참고하라.

2) 상 · 하행과 함께하는 여러 음 또는 유사한 음들의 그룹

1. 순차 상행하는 특별한 음들에서

〈예-426〉 하이든

〈예-427〉 존 필드, 녹턴 5번 119)

2. 악구 시작에서 고정된 거점으로부터 상행 또는 하행하는 음들 120)

〈예-428〉 베버, 무도회의 권유

〈예-429〉 리치Ricci, 바르카롤Barcarole(곤돌라 뱃노래)

119) 198쪽, 〈예-305〉의 제3마디도 참고하라.

120) 베토벤의 월광 소나타, 3악장 Presto, 제21마디, 그리고 클레멘티, Op. 36, No. 2, Allegretto, 제12~13마디도 참고하라.

3. 악구 시작에서 주선율과 베이스가 반진행 할 때 121)

〈예-430〉 쿨라우, Op. 88

4. 작은 악구 또는 유사한 음그룹이 상행 또는 하행 진행하며 반복될 때

〈예-431〉 골드버그Goldberg, 사랑하는 봄Printemps bien-aimé

121) 베토벤의 비창 소나타, 1악장, 제5마디와 제83마디도 참고하라.

〈예-432〉 쇼팽, 마주르카, Op. 6, No. 1 [122]

Chopin, Mazurka, Op. 6, No. 1

5. 빠른 곡에서 베이스는 고정적인데 주선율에서 짧은 음그룹이 여러 차례 순차적으로 반복될 때

〈예-433〉 베토벤, 월광 소나타, 3악장

---

122) 쇼팽, Op. 7, 그리고 베토벤, 월광 소나타, 3악장도 참고하라.

〈예-434〉 모차르트, 피아노 소나타 11번, 트리오 123)

6. 빠른 곡의 악구 끝에서 상행 또는 하행하는 도약 음들이나 유사한 음그룹

〈예-435〉 모차르트, 피아노 소나타 12번, 3악장 Allegro assai 124)

3) 상당한 열정과 흥분을 일으키는 특별하게 도발적인 패시지

1. 표현적인 악구의 중간에, 짧은 음이나 균일한 음그룹으로 된 익살스러운 스케르조와 같은 패시지, 또는 긴 음으로 구성된 패시지가 출현할 때

---

123) 모차르트, F장조 소나타, 1악장도 참고하라.

124) 베토벤, 비창 소나타와 월광 소나타의 마지막 마디도 참고하라.

〈예-436〉 베토벤, 비창 소나타, 3악장

〈예-437〉 모차르트, 피아노 소나타 12번, 3악장 125)

2. 펼친화음 반주 다음에 모음화음accords plaqués 반주가 뒤따르거나, 또는 화성이 규칙적으로 진행하는 악구에서 126)

〈예-438〉 존 필드, 녹턴 5번

---

125) 쇼팽, 왈츠, Op. 64, No. 2의 제31마디, 그리고 두섹의 〈이별〉도 참고하라.

126) 베토벤, 비창 소나타, 2악장의 제17마디도 참고하라.

3. 쉼표로 인해 당김음이 발생한 악구와 패시지에서

〈예-439〉 모차르트, D단조 판타지아, K. 397

〈예-440〉 모차르트, 피아노 소나타 12번, 1악장 127)

4. 당김음 구조의 특별한 악구와 패시지에서

〈예-441〉 베토벤, 피아노 소나타 12번, 1악장 Var. 3, Op. 26

5. 상행 또는 하행 아르페지오가 특별히 동반되는 악구에서

127) 멘델스존의 론도 카프리치오, Op.14도 참고하라.

〈예-442〉 멘델스존, 론도 카프리치오 128)

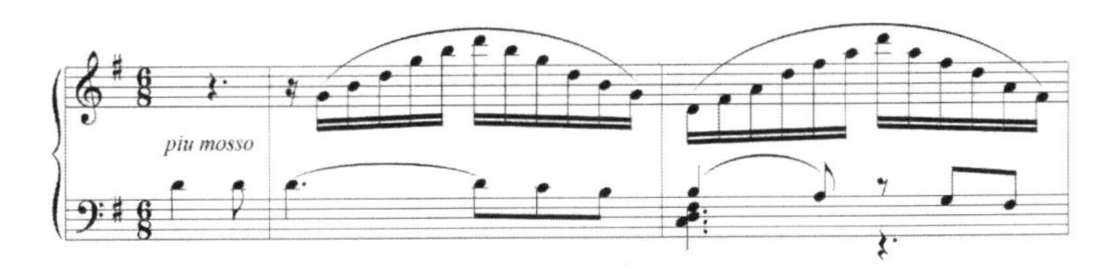

이것으로써 이 장의 첫 번째 항목이 끝났다. 체르니가 제시한 "아첼레란도는 상행 악구에 요구되며, 열정과 동요를 암시한다."라는 하나의 규칙으로부터, 우리는 모두 18개의 세부 규칙을 발견했다. 이 중 일부는 체르니의 설명과 완전히 모순되는 것도 있다. 이는 곧, 위대한 거장들이 이 문제에 대해 거의 고려하지 않았다는 명백한 증거이다.

2. 랄렌탄도와 리타르단도

1) 느리거나 보통 빠르기 곡에서 악구 시작에 오는 한두 개의 순차적이고 표현적인 음 129)

1. 스타카토 악구에서 첫음이 최고음이고, 그다음 같은 음정과 음가의 음이 뒤따를 때

128) 스테판 헬러Stephen Heller의 〈송어La Truite〉도 참고하라.

129) 모든 힘에서 이러한 효과를 얻는 방법에 대한 설명(208쪽)을 참고하라. 녹턴, 카프리스, 몽상곡, 로망스 등에서 후행악구가 선행악구를 단순 반복할 때, 후행악구의 시작 부분 최고음에서 사용된다. 즉, 앞의 숄호프의 〈예-335〉와 〈예-337〉과 같이 첫 마디의 음이나 음형이 다시 반복될 때 쓰인다. 랄렌탄도는 매우 절제된 방식으로 사용되어야 한다. 저명한 예술가들이 이러한 방식을 사용하기에 감히 추천한다. 실제로 연주 시간이 바뀌는 것은 아니다. 추가된 시간이 다음 음들을 빠르게 연주함으로써 보상되기 때문이다.

〈예-443〉 딜리우Delioux, 스페인 카니발 130)

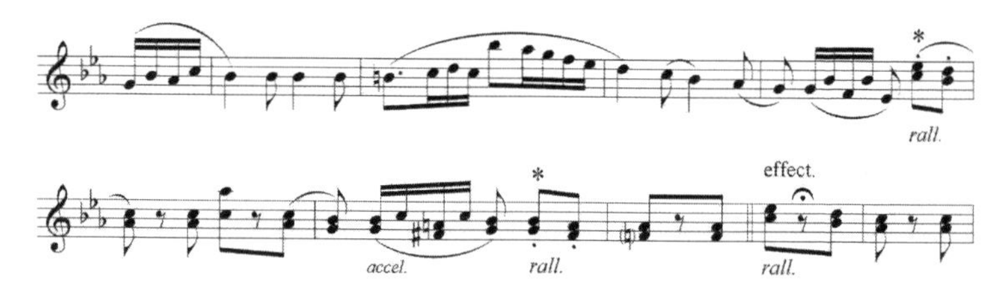

2. 저음으로 시작하는 악구 다음, 고음으로 시작하는 레가토 악구가 올 때.

빠른 곡에서 처음 출현하는 높은음에 머물러 있지 않도록 자제해야 한다. 특정 음이 특별히 고음이라는 이유로, 예를 들어 〈무도회의 권유〉에서 Allegro 제3마디 첫음 F에서 시간을 끌며 머물고자 한다면 어리석다. 그러나 때로는 유명 음악가들도 이러한 실수를 범한다.

〈예-444〉 모차르트 131)

3. 악구 첫음이 도약 상행으로 도달한 높은 반복음이고, 다음에 더 낮은 음이 뒤따를 때.

이 방식은 우리가 아는 한, 기악곡에서 이전 악구의 끝음(저음)을 쉼표로 분리하지 않고 다음 악구의 첫음(고음)과 연결해도 좋은 유일한 경우이다.132)

---

130) 171쪽의 〈예-231〉, 〈예-232〉도 참고하라.

131) 172쪽, 〈예-233〉과 206쪽, 〈예-337〉도 참고하라.

4. 상행 진행의 최고음 다음에 더 낮은 음들이 뒤따를 때

〈예-445〉 쇼팽, 마주르카, Op. 7, No. 4 [133]

Chopin, Mazurka, Op. 7, No. 4

Chopin, Mazurka, Op. 7, No. 3

5. 악구의 첫머리에 출현하는 도입적인 음그룹notes d'élan의 상위 보조음에서 [134]

〈예-446〉 쇼팽, 마주르카, Op. 7, No. 3 [135]

6. 원격조로의 전조, 선법이나 성격적 변화를 포함하는 악구의 첫음에서

---

132) 〈예-231〉과 〈예-232〉를 참고하라.

133) 〈예-342〉와 〈예343〉도 참고하라.

134) 악구를 도입하거나 시작하는 음들인 *notes d'élan*은 악구의 마지막 마디에서 나타나지만, 다음 악구에 속하는 음들이다. 103쪽을 참고하라.

135) 209쪽, 〈예-348〉도 참고하라.

〈예-447〉

〈예-448〉 오베르, 행복한 하루

〈예-449〉 모차르트, D단조 판타지아, K. 397

2) 악구 중간에 오는 하나 이상의 표현적인 음들

1. 낮은음들로 구성된 악구의 부속악구pendant에 등장하는 특별히 높은음

〈예-450〉

〈예-451〉 오베르, 하이디

2. 더 높은음이나 낮은음으로 바꾸어 악구 구조의 진행 방향을 바꾸는 음[136)]

136) 202쪽의 〈예-319〉, 〈예-320〉, 〈예-321〉을 참고하라.

〈예-452〉 모차르트, 피아노 소나타 11번, 1악장 Var. 3

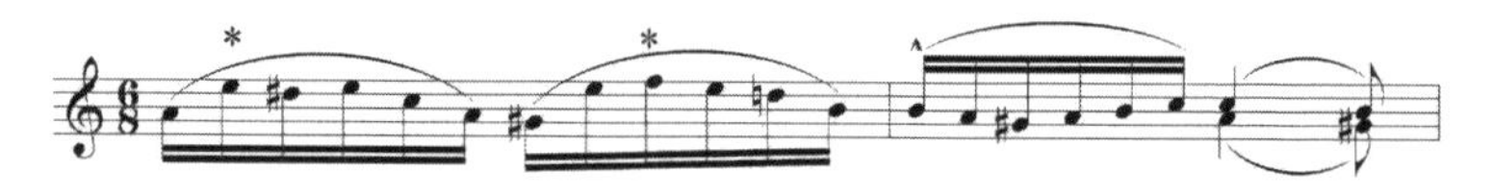

제1마디에서 도약 상행한 2번째 음 E는 구조적 틀을 바꾸는 음이다. 다음 그룹의 높은 F는 상위 보조음으로, 앞 그룹의 하위 보조음을 대체한다. 마지막 마디의 첫음 B는 악센트를 주어야 하는 반복음이다. 이 패시지는 다음과 같이 마지막 마디에서 랄렌탄도가 필요하다.

〈예-453〉 모차르트, 피아노 소나타 11번, 1악장 Var. 3

〈예-454〉 쇼팽, 왈츠, Op. 64, No. 2

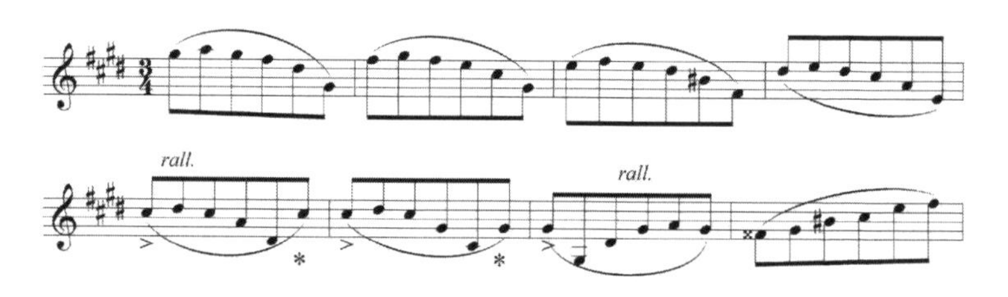

Chopin, Waltz, Op. 64, No. 2

Chopin, Mazurka, Op. 30, No. 2

3) 상행 또는 하행 진행의 끝에서 힘이 소진될 때

1. 특히 악구 구조가 변하는 상행 또는 하행 진행의 끝에서 [137]

〈예-455〉 쇼팽, 마주르카, Op. 30, No. 2

〈예-456〉 쇼팽, 마주르카, Op. 7, No. 2

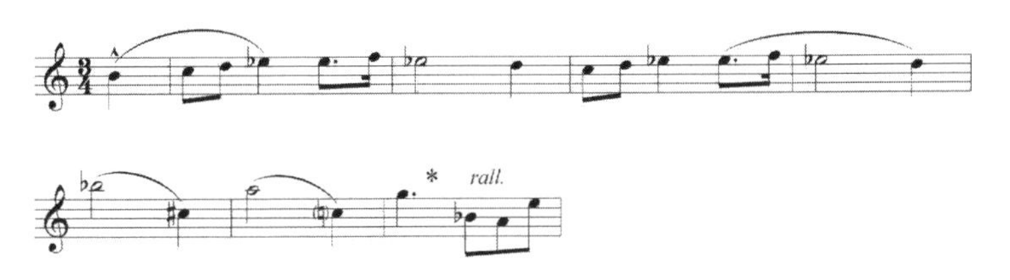

위와 같은 예시의 끝부분에서 랄렌탄도 해야한다. 그 이유는 힘의 소진 뿐만 아니라 마지막 마디에서 제3박의 형태가 바뀌기 때문이다.

Chopin, Mazurka, Op. 30, No. 2

Chopin, Mazurka, Op. 7, No. 2

---

137) 260쪽, 〈예-454〉 쇼팽 왈츠도 그러하다.

2. 갑작스러운 저음에 가로막히는, 점진적으로 상승하는 고음의 연속에서 [138]

〈예-457〉 베토벤, 피아노 소나타 19번, 2악장 Rondo Allegro, Op. 49, No. 1

〈예-458〉 모차르트, 피아노 소나타 11번, 미뉴에트

〈예-459〉

특히 각각의 높은음은 그다음에 쉼이 따를 때, 또는 최고음이 특별히 반복될 때 랄렌탄도가 요구된다. [139]

〈예-460〉 모차르트

---

138) 모차르트, 피아노 소나타 11번, Var. 5, 제5~6마디를 참고하라.

139) 모차르트, 피아노 소나타 11번, Var. 5, 제7마디를 참고하라.

3. 상행하는 음그룹을 곧바로 뒤따르는 하행하는 음그룹에서

〈예-461〉 벨리니, 노르마

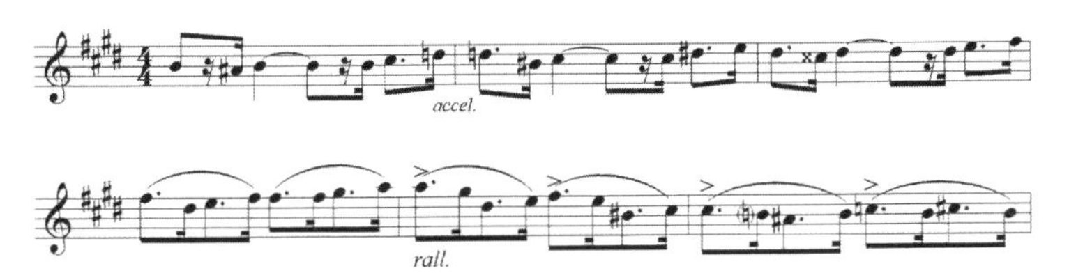

〈예-462〉 구노, 파우스트 140)

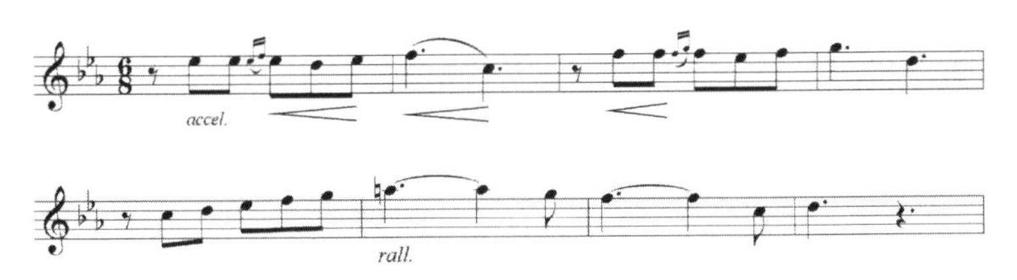

4. 높은음 그룹 뒤에 오는 낮은음 그룹에서 141)

〈예-463〉 마이어베어, 로베르트

---

140) 250쪽, 〈예-431〉도 참고하라.

141) 224쪽, 베토벤, 월광 소나타 〈예-384〉의 마지막 마디를 참고하라.

4) 특별한 구조

앞서 어떤 음악적 구조는 활기와 흥분을 야기하고, 다른 구조는 고요, 슬픔, 또는 몽상적 느낌을 불러일으킨다고 했다.

1. 짧은 음으로 구성된 통일적인 구조의 Allegro 악곡에서, 특별하게 긴 음과 풍부한 화성을 지닌 표현적이고 선율적인 패시지가 출현할 때 [142)]

〈예-464〉 모차르트, 피아노 소나타 12번, 1악장

2. 빠른 악장의 중간에 출현하는 표현적이고 꿈꾸는 듯한 패시지

〈예-465〉 딜리우, 스페인 카니발

(링크 동영상의 2′11″)

142) 229쪽, 베토벤의 비창 소나타 3악장 〈예-396〉과 제43마디를 참고하라.

〈예-466〉 멘델스존, 론도 카프리치오소

〈예-467〉 로시니, 세빌랴의 이발사

〈예-468〉 쇼팽, 왈츠, Op. 18

〈예-468〉에서 상·하위 보조음, 반음계적인 음, 셋잇단음, 반복음들이 표현적이고 감정적인 성격을 일으키며 이 패시지에 랄렌탄도를 요구한다.

3. 장조로 된 선율이 단조로 바뀌어 반복될 때

〈예-469〉 로시니, 윌리엄 텔

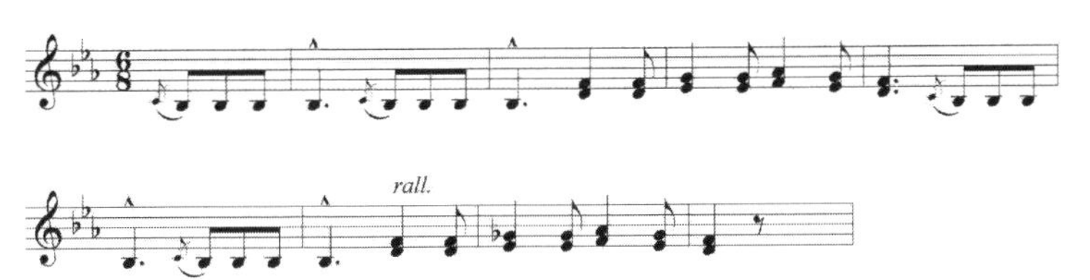

〈예-470〉 베토벤, 월광 소나타, 1악장

〈예-471〉 모차르트, C단조 판타지아, K. 475

가장 평범한 랄렌탄도는 부드럽고 표현적인 악구의 끝에서 나타난다. 음악적 감각이 매우 부족한 연주자조차도 이런 곳에서는 본능적으로 느려진다. 이유는 아주 간단하다. 모든 악구의 끝음은 아치형 구조의 중심이며, 끌어당김과 열망의 클라이맥스이자 끝이다. 귀가 여전히 더 많은 소리를 기대하고 욕망하는 한, 최종 결말은 오지 않는다. 음악적 구문은 최종음이 귀를 완전히 만족시키지 않는 이상 명확히 끝마칠 수 없다.

앞의 제5장, 104~107쪽에 열거된 조건 외에도 최종 으뜸음에 종지적 특성을 부여하는 다른 2가지 주요 사항이 더 있다. 하나는 속도의 느려짐이고, 다른 하나는 지연 또는 전타음의 사용이다.

마지막 음들의 음가를 늘리거나 그들 사이의 시간 간격을 늘리면, 템포가 느려지며 곡의 힘과 추진력이 상대적으로 약화된다. 각 음이 끌어당김의 힘을 점진적으로 잃어가며 마침내 최종음이 힘을 완전히 상실할 때, 귀의 욕망도 멈추게 된다. 아첼레란도에서는 반대로, 음가가 점점 짧아지며 음들의 간격이 더욱 좁혀진다. 이는 끌어당김의 힘을 높이고, 귀의 듣고자 하는 욕망에 엄청난 흥분을 가한다.

빠른 곡에서 악구의 끝음에 완벽한 종지감을 주기 위해서는, 최종적인 동력이 나올 때까지 마지막 화음이 반복되어야 하고, 속도 변화를 통해 귀의 욕망이 진정되며 마침내 소멸되어야 한다. 최종 으뜸화음이 너무 일찍 또는 너무 갑자기 출현하면, 돌발적인 결말이 되어 공허감과 충격을 남긴다. 이럴 경우, 음악가는 비창 소나타의 끝이 그렇듯, 정신적으로 코다를 추가하여 그 공허감을 채우고자 할 것이다.

다음은 아첼레란도가 필요한 패시지이다.

〈예-472〉

위의 패시지에서 우리는 비록 그것이 단 하나의 옥타브 윗음일지라도 코다를 추가하고픈 충동을 품게 된다.

〈예-473〉

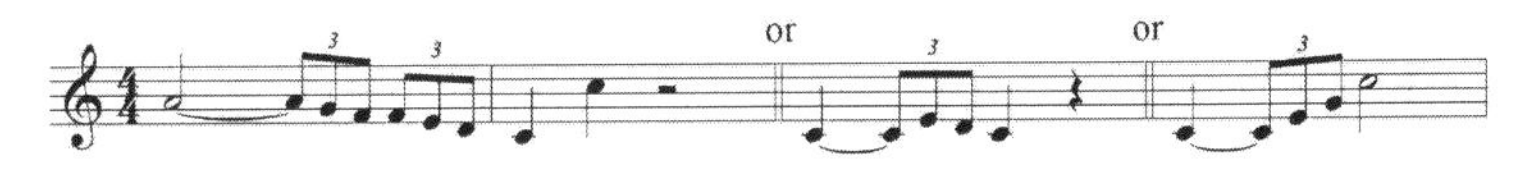

그러나 이 패지지를 다음과 같이 랄렌탄도로 연주하면 코다의 추가 없이도 완벽한 결말이 가능하다.

〈예-474〉

그러나 최종 악구의 끝에서 귀의 욕망을 끊어내고자 랄렌탄도 한 후에, 다시 코데타를 추가하여 귀를 자극하고 흥분시키는 것은 매우 이상한 일이다. 지연은 특별한 힘과 음가를 통해 귀가 원하는 음에 장애물로 작용하며 중요성을 획득하지만, 최종음에는 불리하다.143) 귀는 단 하나의 특별한 음을 원하며, 강압적 힘을 가하지 않는 이상 다른 음은 받아들이려 하지 않는다. 이러한 지연의 강압적 힘이 끝맺음을 향한 추동력에 해로운 힘의 소진과 랄렌탄도를 유발한다.

5) 악구 또는 악절 끝에 오는 하나 이상의 표현적인 음

1. 악구 끝음 앞에 오는 긴 음에 트릴이 포함될 때

〈예-475〉 옛 민요

2. 악구 끝에서 특수하게 여러 차례 반복되는 음들

〈예-476〉 베토벤, 세레나데, 4악장 Allegretto alla polacca, Op. 8

---

143) 이 책의 182~183쪽을 참고하라.

〈예-477〉

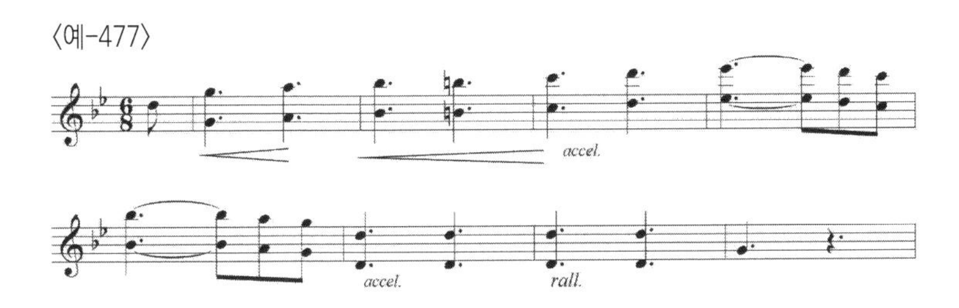

3. 악구의 끝에서 2번째 마디 끝부분에 있는 최고음이 당김음이거나, 연장된 음, 또는 반음계적인 음일 때

〈예-478〉 린트파인너Lindpaintner

〈예-479〉 도니제티, 루치아 144)

4. 악구의 끝에서 2번째 마디 끝부분에 있는 상위 보조음에서

〈예-480〉 오베르, 무음muette

---

144) 274쪽, 〈예-501〉의 마지막 마디를 참고하라.

〈예-481〉 메르카단테

〈예-482〉 쇼팽, 녹턴, Op. 55, No. 1 [145)]

5. 악구의 끝에서 2번째 마디 끝부분에 반복음이 있을 때

〈예-483〉 모차르트, C단조 판타지아, K. 475

〈예-484〉 쇼팽, 왈츠, Op. 64, No. 2

6. 악구 끝음 앞에 선행음이 올 때

〈예-485〉 쇼팽, 녹턴, Op. 55, No. 1

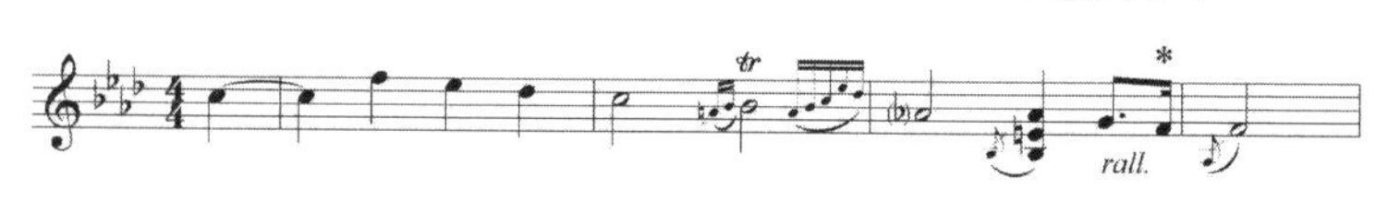

145) 쇼팽의 폴로네이즈, Op. 3, 제8마디를 참고하라.

〈예-486〉 모차르트 [146]

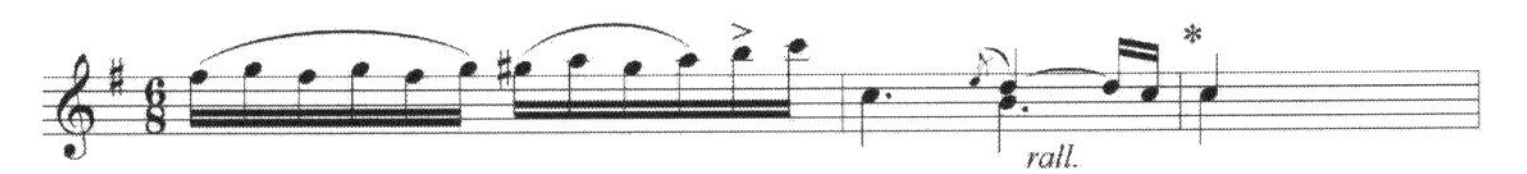

7. 악구의 끝에서 2번째 마디에서 짧은 상위 보조음 음형이 반복될 때

〈예-487〉 스웨덴 가락

〈예-488〉 도니제티, 루치아

8. 악구의 끝에서 2번째 마디에 출현하는 특수한 4분음표들 [147]

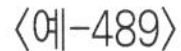

〈예-489〉

〈예-490〉

146) 234쪽, 〈예-384〉의 마지막 마디와 헨델의 〈마카베우스의 유다〉를 참고하라.

147) 199쪽, 〈예-308〉을 참고하라.

9. 악구의 끝에서 반복음이나 상위 보조음을 포함하는 짧은 음들 또는 음그룹. 그러나 끝에서 2번째 마디에 오는 긴 음을 화려한 패시지가 대체한다면, 느려지지 않아야 한다.

〈예-491〉

〈예-492〉 마이어베어, 위그노

〈예-493〉 도니제티, 파보리타

〈예-494〉 베토벤, 월광 소나타, 2악장, Op.27, No.2

〈예-494〉의 * 표시한 두 개의 8분음표는 다음 6가지 이유로 인해 힘과 랄렌탄도를 요한다. (1) 전체 진행에서 예외적으로 짧은 분할 리듬, (2) 악구 끝에서 2번째 마디의 마지막 박에 위치, (3) D♭장조의 제4화음(G♭-B♭-E♭), 즉 윗으뜸음 화음의 제1전위, (4) 상성의 B♭이 높은음, (5) 특수하게 수직 10도 음정을 동반함, (6) 큰 폭으로 도약 상행하여 도달.

이 모든 특수한 요소들이 위의 결말에 특별한 중요성과 폭을 부여하며, 안도감을 조성한다. 어떤 판본도 이곳에 랄렌탄도를 표기하지 않고 있지만, 최고의 예술가라면 이 패시지에서 항상 머뭇거릴 것이다. 같은 방식이 베토벤의 월광 소나타, 스케르초 끝부분에도 나타난다. 거기서는 짧게 분할된 음 외에 선행음도 포함된다.

〈예-494-1〉 베토벤, 월광 소나타, 스케르초 148)

10. 고음 뒤에 이어지는 순차 하행 악구의 마지막 음들에서 149)

〈예-495〉 모차르트, 돈 지오반니

11. 끝에서 2번째 마디의 끝부분에서 하행하는 음들

〈예-496〉 로시니

〈예-497〉 로시니

148) [역주] 원서에 설명만 있는 것을, 역자가 예시 악보 제시함.

149) 이 책의 206쪽을 참고하라.

12. 지연된 악구의 마지막 음들

〈예-498〉 웨이라우흐, 이별

〈예-499〉 마이어베어, 로베르트

〈예-500〉 디토

13. 폴리포니적이고 대위법적인 악구, 또는 복잡한 화성이나 해결을 요하는 불협화음, 계류음 등을 포함하는 악구의 끝에서 150)

〈예-501〉 베버, 오베론

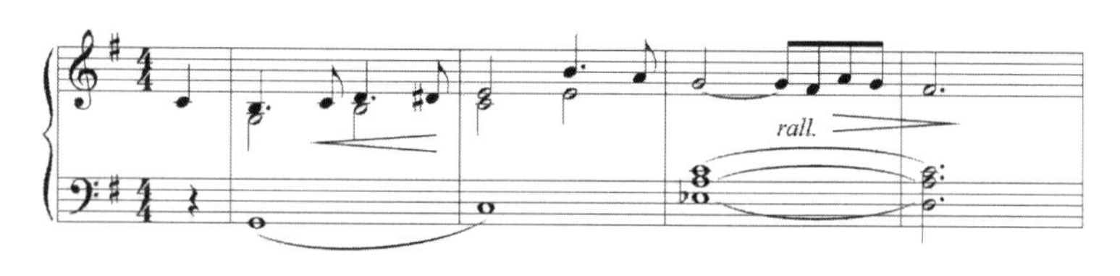

150) 246쪽, 모차르트의 〈예-415〉를 참고하라.

〈예-502〉 메르카단테

14. 상위 보조음, 반복음, 머무는 음을 포함하는 코데타의 마지막 음들에서

〈예-503〉 도니제티, 파보리타

〈예-504〉 체르니, Op. 139

〈예-505〉 모차르트, 피아노 소나타 11번, 트리오

15. 자유로운 카덴차cadenza ad libitum에서, 장식적인 음그룹의 끝에 출현하는 지속음, 당김음, 긴 음에서 [151)]

16. 표현적인 악구의 끝에서 연속적으로 여러 차례 리듬적으로 반복되는 음형과 음그룹에서

151) 베토벤, 비창 소나타, 1악장 Grave, 제10마디를 참고하라.

〈예-506〉 쇼팽, 녹턴, Op. 55, No. 1

〈예-507〉 쇼팽, 마주르카, Op. 7, No. 2

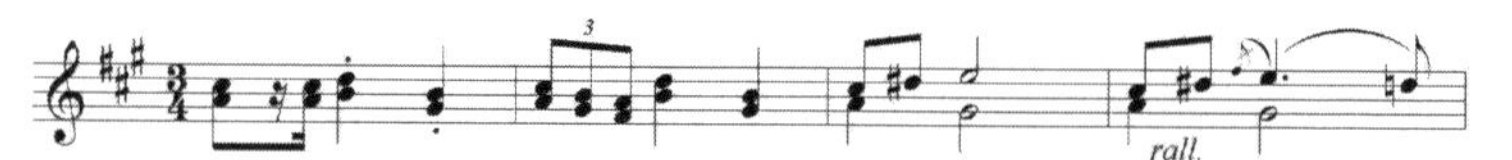

〈예-508〉 모차르트, F장조 소나타 152)

17. 쉼표에 의해 분리된 최종 화음에서

〈예-509〉 베토벤, 비창 소나타, 1악장

〈예-510〉 로시니, 세빌랴의 이발사

152) 베토벤, 월광 소나타, 1악장의 마지막 마디, 그리고 베토벤, 피아노 소나타 12번, 1악장, Var. 5, Op. 26의 마지막 마디를 참고하라.

이 주제에 대해 좀 자세히 다루었다. 이는 규칙을 정립하는 즐거움 때문이 아니라, 다만 여러분이 정교한 분석에 익숙해짐으로써 감정적 요소의 다양한 음악적 측면을 이해할 수 있기를 바라는 마음에서였다. 템포 조절과 관련해 잘못된 연주가 매우 많지만, 그러한 사례를 인용하지 않을 것이다. 자유를 핑계로 많은 음악가가 속도와 활기를 키워야 할 흥미진진한 곳에서 오히려 느려지고, 반대로 갑작스러운 장애물로 인해 추진력을 자제해야 하는 곳에서 오히려 빨라진다.

여기서 제시된 규칙과 원리를 부지런히 주의 깊게 연구하면, 누구나 이를 음악 연주와 악구 분석에 적용할 수 있을 것이다. 또한 기존 악보에서 지시된 표현기호와 부족한 표현기호 간의 불일치와 모순을 발견하게 될 것이다. 몇몇 악곡을 주의 깊고 세심하게 연구한다면, 여러분은 이 책의 내용에 과장된 것이 전혀 없음을 확신하게 될 것이다.

3. 실습

랄렌탄도와 아첼레란도가 행해지는 주요한 부분들을 가장 위대한 예술가들의 연주와 유명 교수들의 해석에 근거하여 분석했다. 그러나 단지 그것들을 지적했을 뿐이다. 여러분이 적절한 템포 변화를 통해 감정적 요소를 반영하고자 한다면, 곡의 전체적인 성격을 훼손하지 않으면서 감정적 요소를 도입할 수 있는지 판단하기 위해 우선 악곡의 성격과 적정 템포를 연구해야 한다.

비록 악보에 지시가 없더라도, 표현적인 곡에서 템포 조절을 통한 감정적 요소는 크레센도, 디미누엔도, 표현적인 패시지, 전조, 상·하행 진행 등에서 사용되어야만 한다. 표현기호의 표기에서 모든 오류와 모순은 수정되어야 한다. 이를 위해서는 다양한 템포 용어에 대한 철저한 지식이 필요하다. 가장 많이 사용되는 것들은 다음과 같다.

〈표-5〉 표현 관련 음악 용어

rallentando	점점 느리게	*perdendosi*	사라지듯이
ritenuto	갑자기 느리게	*estinto*	꺼지듯이
accelerando	점점 빠르게	*marziale*	당당하게
diminuendo	점점 여리게	*calmato*	고요하게
agitato	격렬하게	*meno mosso*	보다 느리게
con passione	정열적으로	*più mosso*	좀더 빠르게
passionate	정열적으로	*impetuoso*	맹렬하게
con fuoco	불같이	*à tempo*	본래 빠르기로
precipitato	성급하게	*tempo primo*	본래 빠르기로
animato	생기있게	*tempo rubato*	자유로운 빠르기로
strepitoso	강렬하게	*l'istesso tempo*	같은 빠르기로
più lento	좀더 느리게	*stretto*	긴박하게
calando	점점 여리게	*slargando*	점점 폭을 넓혀서
con moto	활기차게	*stringendo*	점점 빠르게
allargando	점점 폭넓게	*rapido*	민첩하게

매우 긴 패시지에 아첼레란도, 랄렌탄도, 크레센도, 디미누엔도를 적용할 때, 과장된 표현이 되지 않도록 너무 갑작스러운 변화에 주의해야 한다. 목표로 삼아야 할 가장 중요한 것은 섬세하고 점진적인 이행을 통해 템포와 힘의 변화를 이끌어낼 수 있는 동력이다.

제8장

뉘앙스와 소리의 강도

1. 뉘앙스 규칙
2. 뉘앙스 규칙의 적용
3. 실습

제8장 뉘앙스와 소리의 강도

앞서 보았듯 박절 악센트, 악구 악센트, 그리고 표현 악센트의 효과는 대립과 대조에 있다. 빛에 그림자가 따르듯 어떤 음에 부여된 힘은 반드시 그 주변 음들의 힘을 약화시킨다. 이러한 악센트들이 숙련된 변화와 섬세한 뉘앙스를 통해 음악의 그림에 시적 감각을 부여한다. 즉, 점진적인 변화와 뉘앙스는 갑작스러운 변화를 완화해 주며, 두드러지게 돌출된 음을 부드럽게 만들어 주고, 충분하게 감지되지 않는 음들을 살려내며, 음악적 대조를 조화롭게 통일하는 데 필수적이다.

모든 악곡과 모든 악구는 그 구조에 적합한 소리의 울림sonority[153]과 강도intensity를 요구한다. 따라서 뉘앙스는 단지 음 : 음, 악구들뿐만 아니라 악곡의 처음부터 마지막 악구까지 전체를 포괄한다. 뉘앙스는 다양한 다이내믹 요소들을 결합하고, 연결하며, 통일하는 접착제 또는 링크 역할을 한다.

153) [역주] sonority는 문맥에 따라 '울림', '음량', '반향'으로 번역했다.

모든 표현적 현상 중에서 뉘앙스는 가장 독단적이고 임의적인 것처럼 보이지만, 전혀 그렇지 않다. 실제로 뉘앙스는 악구 구조와 매우 밀접한 관계를 지니기에, 이 둘을 분리하는 것은 불가능하다. 특정한 악구의 경우, 다른 어떤 다이내믹이 아닌 그것에 어울리는 적절한 소리의 강도가 존재한다. 다른 모든 일과 마찬가지로, 여기에도 감각 있는 이들이 본능적으로 따르는 규칙이 있으며 예술가는 이를 벗어날 수 없다.

더욱이 모든 표현적인 연주기법 중에서도 보통 가장 많은 주의를 기울이는 것이 바로 뉘앙스라는 점을 알아야 한다. 과거 작곡가들은 뉘앙스와 관련된 표시 외에 다른 어떤 표시도 기재하지 않았으며, 오래된 판본들도 마찬가지이다. 심지어 오늘날 가장 뛰어난 음악 교수들조차 곡의 박절·악구·표현 악센트에 주의를 두지 않은 채, 학생들에게 뉘앙스를 다루는 기계적인 절차와 방식, 크레센도와 데크레센도를 발전시키는 방법을 가르치는 데 열중하고 있다.

이 문제에 관한 이 책의 임무를 완성하기 위해, 우리는 뉘앙스 사용에 대한 어느 정도 분명한 원칙을 정립하고, 그런 다음 이를 몇몇 악곡에 관한 비판적 연구에 적용할 것이다.

이를 통해 다음 3가지 이득을 얻을 수 있다. (1) 작곡가가 이러한 원칙을 얼마나 충실히 따랐는지 확인할 수 있고, (2) 필요한 경우 문제점을 합리적으로 수정할 수 있는 능력을 갖추게 될 것이며, (3) 연습을 통해 이 원칙들을 적용하는 방법에 익숙해질 것이다.

1. 뉘앙스 규칙

뉘앙스 및 소리의 강도와 관련하여 연주자와 작곡가 모두를 인도해 줄 원칙은 다음과 같다.

1. 상행 패시지에서 힘과 음량이 점진적으로 증가할 때 크레센도 한다.

상승한다는 것은 자연적 본성과 끌어당김에 저항하는 것이다. 그것은 장애물에 대항해 투쟁하며 장애물을 정복하는 것을 뜻한다. 투쟁은 힘의 표출을 의미하며, 그 뒤에는 힘의 소진과 피로가 따른다.154)

〈예-511〉 로시니, 슬픔의 성모

2. 하행 패시지에서 음량과 열의가 감소할 때 데크레센도 한다.

하강한다는 것은 자연적 본성에 노력 없이 수동적으로 굴복하는 것이다.

〈예-512〉 베토벤, Op. 75, No. 2

154) "제7장. 감정적 요소", 240쪽을 참고하라.

〈예-513〉 쇼팽, 녹턴, Op. 55, No. 1

그러나 하행 패시지에 전조나 표현적인 음을 생성하는 예기치 못한 갑작스러운 장애물이 있는 경우, 하강하는 구조임에도 불구하고 다음과 같이 힘이 필요하다.

〈예-514〉

위의 제3마디는 비록 선율이 하강하지만, 다음 8가지 요인으로 인해 여전히 매우 큰 에너지를 필요로 한다. ⑴ 높은음, ⑵ A♭장조의 제3화음(버금딸림화음), ⑶ 버금가온음(F)으로의 전조, ⑷ 주선율에서 3개의 4분음표가 연속되는 진행, ⑸ 전체 순차진행 중 2음의 도약진행, ⑹ 선율과

반주 모두 옥타브 중복, ⑺ 주선율과 베이스의 반진행, ⑻ 베이스가 이전의 2분음표 구성과 달리, 4분음표 4개로 진행.

3. 패시지의 음들이 많아질수록, 음량은 더욱 커진다.

예를 들자면, 피아노에서 1개의 현을 진동시키는 것보다 6개 또는 8개의 현을 진동시킬 때 분명 더 큰 힘이 필요하다.155)

4. 음가가 길수록, 그 음을 치고 소리를 유지하는 데 더 큰 힘이 필요하다.

5. 음가가 짧을수록, 힘은 덜 요구된다.

〈예-515〉 스타이벨트Steibelt

6. 리듬 형태가 더 힘찰수록, 더 큰 힘이 필요하다.

앞의 68쪽 〈표-3〉에서 점음표와 쉼표를 지닌 3번(♩. ♪)과 4번(♩ 𝄾♪) 형태는 등시가인 1번(♩ ♩)과 2번(♪ ♪ 또는 ♬𝄾♪𝄾) 형태보다 음량이 더 풍성해야 한다.

155) 이 페이지의 〈예-515〉를 참고하라.

〈예-516〉 클레멘티, Op. 26, No. 2

〈예-517〉 베버, 무도회의 권유

〈예-518〉 마이어베어, 위그노 156)

7. 인상적인 성격의 화음은 큰 소리의 반향을 요구한다.

예를 들어, 제3화음(버금딸림화음)의 제2전위, 윗으뜸음에서 형성된 제4화음의 제1전위와 제2전위는 그것이 특별히 종속 악구의 시작에 위치할 때, 힘과 에너지를 요구한다.

〈예-519〉 베버, 오베론

156) 하이든의 교향곡 제12번, 미뉴에트도 참고하라.

〈예-520〉 로시니, 윌리엄 텔 [157]

8. 불협화음, 반음계적 화음, 원조의 원격조로 전조된 패시지는 음색tone이 풍부해야 한다. 이를테면, 그러한 화음과 패시지는 귀에 압력을 가한다.[158]

9. 패시지가 복잡할수록, 그리고 박절 · 악구 · 조성 · 선법적인 특수성이 더 많을수록, 음량이 더 커야 한다.

(1) 베이스와 반진행하는 주선율이 옥타브 중복으로 상행하거나, (2) 1음 1박 대신 1박이 두세 음으로 분할되거나, (3) 원격조나 이명동음조로 전조될 때, 음량과 음색의 충만함이 최강의 포르티시모(*ff*)까지 높아진다. 이런 종류의 패시

157) 베토벤, 월광 소나타의 Allegro와 Adagio를 참고하라.

158) 이 책의 216~219쪽을 참고하라.

지가 2박자의 상·하행 아르페지오, 머무는 음에 놓인 불협화음, 트레몰로 등으로 반주될 때, 그 힘이 클라이맥스에 도달할 수 있다.

〈예-521〉 리스버그, 운디네Les Ondines, Op. 90

위의 패시지에서 반주는 한 마디에 8분음표 28개의 잇단음표를 포함하며, 피아노의 거의 모든 건반으로 확장된다. 반주에서 각 박은 순차 진행으로 하강하지만, 반대로 선율은 상승 진행한다. 이 패시지는 비범할 정도로 효과적이며, 사실 탈베르크Thalberg[159] 양식의 훌륭한 모델 중 하나이다.

〈예-522〉 레이바흐, 녹턴 5번, Op. 54

159) [역주] Sigismond Thalberg(1812-1871). 19세기 비르투오소 피아니스트이자 작곡가. 리스트의 라이벌. 마치 세 손으로 연주하는 것 같은 현란한 연주 효과로 유명.

위의 제3마디에서, 조가 G장조에서 E♭장조로 전조되고, 반주 형태가 바뀜으로써, 이 패시지가 큰 힘을 얻게 된다.[160]

10. 단조로움을 피하려면 소리의 음량은 다양한 대조로 가득해야 한다.

음량이 계속 충만하기만 하면 귀에 피로감을 주기에, 부드러운 패시지의 안도감이 필요하다. 따라서 힘을 받는 긴 음과 반복음을 줄일 필요가 있다.[161] 전조 또는 열정적인 종결 패시지 뒤에 오는 모든 종속적 악구는 부드러워야 한다. 특히 그것이 원조의 딸림7화음으로 시작하거나 상행하는 짧은 음들로 구성될 때 그렇다.

〈예-523〉 린트파인너Lindpaintner, 기수The Standard-bearer

〈예-524〉 보이엘디외, 담 블랑슈

160) 비창 소나타, 2악장의 제41~42마디, 멘델스존의 〈론도 카프리치오소〉 3쪽과 8쪽, 쇼팽의 A장조 폴로네즈, 슐호프의 녹턴 Op. 11과 Op. 19, 탈베르크의 〈위그노와 모세 주제에 의한 판타지아〉, 아셔의 〈트라비아타의 브린디시〉, 크뤼거Krüger의 〈에올리안 하프〉 등을 참고하라.

161) "제6장. 표현 악센트", 196쪽을 참고하라.

그러나 종속 악구에 긴 음이 있다면, 딸림7화음에도 불구하고 악센트를 주어야 한다. 선행악구가 부드럽게 끝날 때도 그렇다.

11. 일련의 고음 뒤에 갑자기 저음으로 된 작은 음그룹이 올 때, 즉각 대조적인 피아니시모로 연주해야 한다.[162]

〈예-525〉 베르디

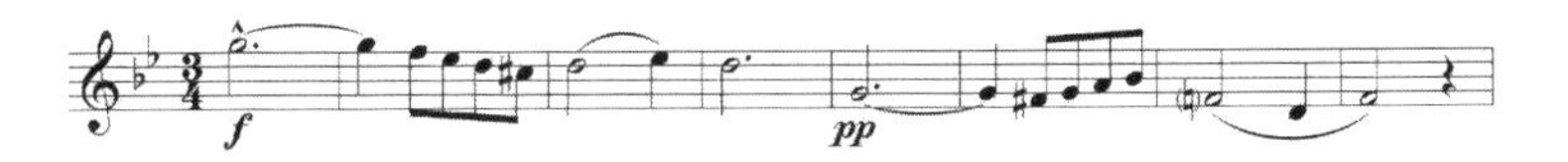

〈예-526〉 모차르트, 피아노 소나타 11번, 미뉴에트

〈예-527〉 멘델스존, 길 위에서Auf der Wanderschaft, Op. 71, No. 5

162) 이 효과는 항상 매우 놀랍다. 레이첼Rachel과 리스토리Ristori는 이 효과로써 큰 감동적인 인상을 만들어냈다. 그들은 최대의 에너지와 힘을 보여준 뒤, 마음의 침울한 폭풍과 열정적인 격정을 단순하고 조용한 중얼거림으로 억제했다. 모든 음악에서 이러한 효과의 가장 눈부신 예 중 하나가 베토벤의 영웅 교향곡 제1악장에서 E단조 에피소드의 시작 부분이다. 앞부분에서 악보 세 쪽에 걸친 엄청난 폭발을 보여준 뒤, 갑작스럽게 피아노(*p*)가 등장하며 놀랄만한 효과를 일으킨다. 베토벤의 관현악 작품은 이와 유사한 대조들로 가득하다.

Dietrich Fischer-Diskau

Hans-Jörg Mammel

Mendelssohn, 6 Lieder, Op. 71, No. 5, "Auf de Wanderschaft"

〈예-528〉 퀴켄, 제비 L'Hirondelle

〈예-529〉 도니제티, 연대의 딸

〈예-529〉에서 피아니시모의 후반 4마디를 옥타브 높여 연주한다면, 그 효과가 더욱 크고 신선할 것이다.

12. 큰 힘을 들인 상승 진행 후, 최고음에서 갑자기 피아니시모로 연주한다.

〈예-530〉 멘델스존, 론도 카프리치오소

〈예-531〉 베토벤, 왈츠, No. 2

〈예-532〉 디토 163)

163) 베버의 A장조 소나타, Op. 39, Andante와 Adagio도 참고하라.

주의할 점은 〈예-532〉의 제5마디 최고음은 피아니시모로 연주하지 않는다는 점이다. 〈예-531〉에서는 최고음 출현 이후, 갑자기 악구가 원조로 돌아온다. 그러나 반대로 〈예-532〉에서는 F단조에서 D♭단조로 갑작스러운 전조가 이루어지는데, 귀가 이러한 변화를 받아들이려면 엄청난 에너지와 음색의 충만함이 필요하다. 제6마디에서부터 음이 하행하지만, 그럼에도 불구하고 특히 제6마디의 G♭-B♭-E♭화음에서 큰 힘을 드러내야 한다. 이러한 예는 뉘앙스의 적용에 얼마나 신중한 분별력이 필요한지를 보여준다.

또한 종종 몇 마디 후에 재현되는 주제의 첫음 앞, 또는 귀가 욕망하는 음 앞에서, 중단 없이 즉각 다음 악구로 진입하기보다는 갑작스러운 짧은 쉼이 주어지면 좋다.

〈예-533〉 베토벤, 월광 소나타, 3악장

〈예-534〉 쇼팽, 화려한 대왈츠, Op. 18

〈예-535〉 아셔, 걱정 없이Sans Souci

〈예-536〉 쇼팽, 마주르카, Op. 7, No. 2

판타지아-소나타 Adagio에서, 모차르트는 유사한 쉼표를 표기했다. 멘델스존의 론도 카프리치오소, Op. 14, 2쪽에도 그런 쉼표들이 사용될 수 있다. 이러한 효과는 적절한 감각과 판단으로 사용될 때, 카프리스, 갤럽, 왈츠 또는 소위 살롱 음악morceaux de salon을 항상 즐겁게 만든다. 그러나 클래식 음악에서는 결코 쓰지 말아야 한다.

13. 짧은 패시지가 갑자기 단2도 관계로 (예를 들어, C에서 D♭으로 또는 A에서 B♭으로) 전조될 때, 큰 음량의 악구에서 갑자기 피아니시모로 연주한다.

〈예-537〉 베토벤, 월광 소나타, 1악장

다음 〈예-538〉에서 28마디를 더 지난 뒤에 C에서 D로 전조되는데, 여기서도 갑작스러운 피아니시모가 매우 효과적이다.

〈예-538〉 오베르, 행복한 하루

위의 〈예-538〉 제4마디에서 베이스의 지속음 F 위로 단2도 위의 전조가 일어나는데, 비록 선행악구에 큰 하행 도약이 있고 선행악구의 끝이 피아노(*p*)로 마무리되어도, 이 지속음이 또한 피아니시모가 선호되는 또 다른 이유가 된다.

그러나, 가사가 힘과 에너지를 표현한다면, 음악에서 전조가 일어나더라도 그 패시지는 포르테로 연주해야 한다. 다음 〈예-539〉에서 제5마디 D♭에 로시니가 포르테를 기재했지만, 탈베르크는 이 노래의 피아노 편곡에서 이곳을 여리게 연주했다. 이는 놀랄 일이 아니다. 이러한 갑작스러운 전조는 큰 힘과 극도의 섬세함에 의해 마찬가지로 깊은 인상을 심어준다. 원하는 것은 단순한 대조일 뿐이다. 이 효과에 대한 설명은 매우 간단하다. 연속적인 크레센도로 힘이 증가함에 따라, 최고음은 거의 고통스러울 만큼 커질 것이고, 동시에 연주자의 힘이 소진되어 갑작스러운 피아니시모가 거의 불가피해진다.

〈예-539〉 로시니, 윌리엄 텔

다음 예시의 제2마디 A♭도 마찬가지다.

〈예-540〉 벨리니, 몽유병

그러나 반주에 음이 빼곡히 가득 차 있거나, 반주가 주선율과 3도 또는 6도 음정을 이루고 있다면, 강하게 연주해야 한다.

〈예-541〉 스타이벨트

위의 패시지는 특히 반주에 음이 가득 차 있기에 힘을 지니며, 각 마디 베이스 첫음이 선율 첫음과 6도 음정을 이루기에 큰 음량으로 연주해야 한다.

14. 부드러운 패시지 이후 갑작스럽게 단조의 버금가온음(제6음)으로 (예를 들어, C에서 A♭, D♭에서 B♭♭ 또는 이명동음 A♮로) 전조가 일어날 때, 충만한 음량이 요구된다.

〈예-542〉 베버, 오베론

〈예-543〉 아담Adam 164)

15. 지속음-베이스에 놓인 단순한 구조의 악구는 아주 작게 연주한다.

〈예-544〉 오베르, 행복의 첫날Premier Jour de Bonheur

164) 니더마이어의 〈호수Le Lac〉도 참고하라.

〈예-545〉 로시니, 윌리엄 텔

〈예-546〉

지속음-베이스가 귀에 안정감을 제공하므로, 여린 소리의 고요함은 자연스러운 결과이다. 물론, 이 법칙은 리듬 형태에 따라 바뀔 수 있다. 리듬이 형태로만 구성된 악구는 반주가 안정적이더라도 큰 음량으로 연주해야 한다.165)

16. 상행하는 에코에서 갑작스러운 피아니시모로 연주한다.

165) 쇼팽, Op. 9, No. 1, Op. 7, No. 1, Op. 57 등을 참고하라.

〈예-547〉 리스버그, 전원시Idylle

〈예-548〉

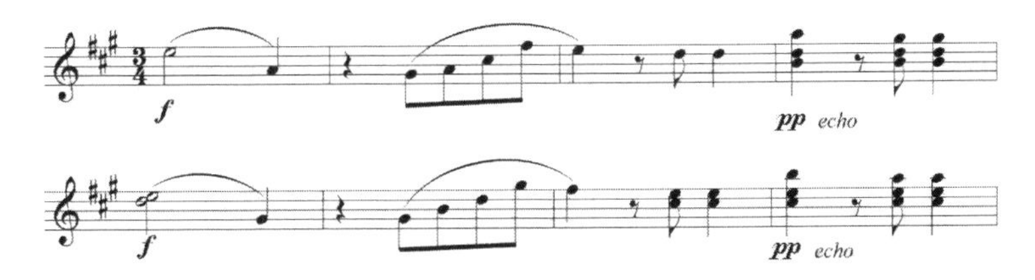

17. 반면, 베이스와 유니즌인 낮은 에코에서는 갑작스러운 포르티시모로 연주한다.

〈예-549〉

18. 상행하는 작은 음형이 동형진행으로 반복될 때, 크게 소리낸다.[166]

---

166) 263쪽, 〈예-461〉을 참고하라.

〈예-550〉 베토벤, 왈츠, No. 2

19. 특별하게 긴 음이나, ♩ ♪♩ ♪ 또는 ♪. ♬ ♪. ♬ 와 같은 리듬형이 올 때, 큰 음량과 폭이 요구된다.

〈예-551〉 메르카단테

〈예-552〉 벨리니, 노르마

〈예-553〉 도니제티, 파보리타

〈예-554〉 오베르, 무음

대조의 필요성은 매우 커서 다른 모든 것을 굴복시킨다.

20. 구조 또는 힘의 요소로 인해 격렬해야 할 패시지이지만 그 바로 앞에 힘찬 포르테가 선행할 경우, 그 패시지는 여리게 연주해야 한다. 그러므로 어떤 패시지에 가해져야 할 힘은 대개 그 위치와 선행악구의 음량에 달려있다.

쇼팽의 즉흥곡, Op. 29, No. 1의 Adagio에서, 다음 〈예-555〉의 제5마디는 윗으뜸음 화음으로 시작하고 A♭으로 전조하는 하행 종속 악구라는 두 가지 점으로 인해 충만한 음량으로 표현해야 할 것처럼 보인다. 그러나, 선행 패시지가 2개의 셋잇단음표로 된 상행하는 반음계적 선율로서 매우 힘찬 포르테로 끝나므로, 제5마디는 갑자기 작아지는 피아니시모로 표현하는 게 더 효과적이다.

〈예-555〉 쇼팽, 즉흥곡, Op. 29, No. 1

다음 베토벤의 비창 소나타, 2악장의 예시에서도 마찬가지다.

〈예-556〉 베토벤, 비창 소나타, 2악장

위의 예시에서 제5마디 후반은 비록 E♭장조의 윗으뜸음 7화음이지만, 큰 폭의 도약 하행으로 도입되는 낮은음 F는 포르테가 아닌 피아니시모로 연주해야 한다. 그 앞부분의 다음 3가지 이유로 인해서 그렇다. (1) E♭장조에서 C단조로의 전조, (2) 제4마디의 높은음 F의 표현적인 속성, (3) 제4마디 끝음과 제5마디 첫음으로 반복되며 힘을 강화하는 높은음 E♭과 바로 다음 이어지는 부드러운 낮은음 F의 대조.

슈베르트의 〈소녀의 비탄des Mädchens Klage〉의 마지막 두 마디를 참고하라. 같은 방식으로, 비록 전조의 발생으로 힘과 음량이 개입되는 것 같지만, 강한 패시지가 바로 앞에 있기에 피아니시모로 연주해야 한다.

〈예-557〉 웨이라우흐, 이별

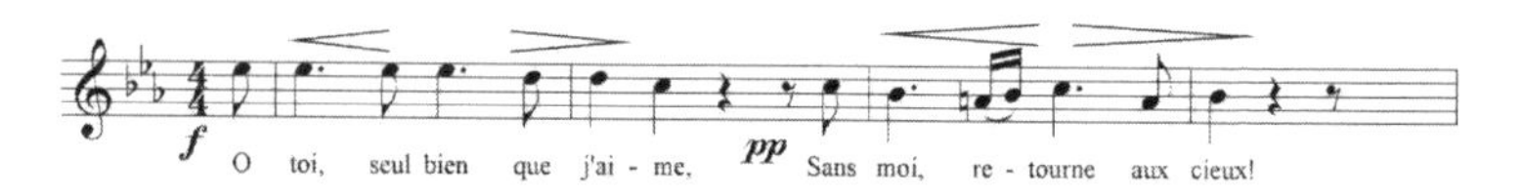

〈예-558〉 도니제티

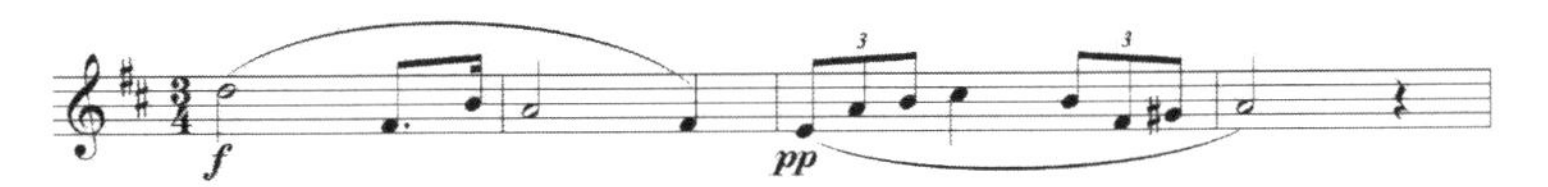

21. 반음계적 화음조차도, 더욱이 제3화음과 제4화음이 출현하더라도, 선행악구가 포르테이면, 다음 패시지는 피아니시모가 되어야 한다.

〈예-559〉

〈예-560〉

단, 성악곡에서 힘과 음량은 가사의 의미에 명확히 종속되어야 한다.

2. 뉘앙스 규칙의 적용

작곡가가 기입한 뉘앙스 기호가 이 책에서 제시한 뉘앙스 규칙과 부합하는지 알아보기 위해 한두 곡을 분석하고자 한다.

다음은 레이바흐의 녹턴 5번 중의 한 패시지이다.

〈예-561〉 잘못된 뉘앙스 표기 (레이바흐, 녹턴 5번, Op. 54)

위의 예시에서 조표상으로는 단지 플랫이 4개이지만, 실제 조는 D♭장조이며, 뒤에 다시 A♭장조로 전조되어 곡을 마친다. 제4마디 이후 선율이 하행하는데, 작곡가는 거기에 피아노와 랄렌탄도를 기입했다. 얼핏 보면 분명 위의 패시지에는 힘과 활기를 요하는 다양한 표현적 요소들이 있다. 제1마디는 D♭장조의 버금딸림화음으로 시작하며, B♭이 당김음적으로 몇 차례 반복되는데, 두 번째 B♭은 전체 악구에서 가장 긴 음이다. 제2마디에서는 상위 보조음 C♭이 등장하는데, 이 음은 E♭의 단음계 버금가온음이다. 제2마디는 E♭의 딸림7화음으로 반주된다. 이러한 점들이 그 자체로 이 패시지에 힘과 활기를 전할 것이다. 그러나 이 패시지에 가장 큰 추진력을 주는 요소는 왼손 반주이다. 주선율이 상행하는 데 반해, 처음 3마디의 베이스 첫음이 G♭, F, E♭으로 하행하기 때문이다. 따라서 이 패시지는 크고 충만한 음량을 요구하며, 아첼레란도와 크레센도의 요소를 내포한다.

라비나는 〈달콤한 생각〉 5쪽에서, *con fuoco*불같이 열정적으로 라고 적어 놓은 지나치게 큰 소리의 악구 뒤에, 다음 예시와 같이 *marcato, ff con passione* 라고 표기했다.

〈예-562〉 잘못된 뉘앙스 표기 (라비나, 달콤한 생각, Op.41)

그러나 위의 패시지는 베이스의 지속음 B에 기반하며 큰 소리의 악구 다음에 출현하므로, 포르티시모가 아닌 피아니시모로 연주할 때 확실히 훨씬 더 효과적일 것이다. 왜냐하면 부드러운 패시지가 이전의 힘찬 패시지와 대조를 이루며 반가운 안도감을 줄 것이기 때문이다. 포르티시모와 피아니시모로 각각 연주해 보면 그 차이를 곧바로 느낄 수 있을 것이다.

두섹의 〈이별〉에서 우리는 다음과 같은 작곡가의 표기를 접한다.

〈예-563〉 잘못된 뉘앙스 표기 (두섹, 이별)

위의 예시에서 제3마디는 비록 선율이 하행하지만, 디미누엔도보다는 크레센도로 연주하는 것이 더 적합하다. 왜냐하면 B♭장조에서 F장조로의 전조가 거기서 끝나고, 게다가 베이스와 선율이 반진행하며, 반주 화음이 더욱 풍성[167]해지기 때문이다. 위의 패시지 다음 악구에는 *dolcissimo* 가 적혀 있고, 20마디를 더 지나서 다음 〈예-564〉의 패시지가 나타난다.

〈예-564〉 잘못된 뉘앙스 표기 (두섹, 이별)

167) [역주] 한 마디에서 화음이 8분음표 단위로 바뀌며 화성리듬이 빨라진다.

위의 악구에서 마지막 마디는 피아노로 이어지는 디미누엔도로 연주하는 편이 더 좋다. 그 이유는 해당 악구가 지속음 D 위에서 하행하고 있고, 이전 여러 마디 동안 크레센도 했으며, 또한 전조도 없고, 다음 악구가 포르테로 시작하기 때문이다.

〈예-565〉 잘못된 뉘앙스 표기 (베버, 오이리안테Euryanthe, Flaxland's Edition)

위의 예시에서 끝에서 2번째 마디의 피아니시모 표기는 명백히 잘못되었다. 상행 진행하여 A♭조에서 C조로 미묘하게 전조되기에, 피아니시모 대신 포르테가 와야 한다. 더욱이 바로 앞 리듬단편도 부드럽게 끝난다.

슐호프는 그의 작품 Op. 11, 4쪽에서 오른손의 악구를 표시하는 아무런 지시도 없이 다음과 같은 패시지를 썼다.168)

168) 이 곡의 3쪽, 둘째 줄, 제3마디에서, 그는 포르테 대신 피아노를 적었고, 바로 뒤이어 *appassionato* 가 뒤따른다.

〈예-566〉 잘못된 뉘앙스 표기 (숄호프, Op. 11) (점선의 악구 표시는 역자에 의함)

위의 여덟 마디를 분석하면, (이전 악구는 A♭장조로 끝나지만) 조와 선법이 모두 바뀌어 F단조로 시작한다. 이 전조가 포르테를 유도하지만, 숄호프는 피아니시모를 적었다. 첫음 C는 그 마디의 최고음이다. 따라서 표현 악센트와 악구 악센트를 모두 수반한다. 제1마디의 B♭은 반복음이자 계류음이고, 리듬단편의 첫음이기에, 음량이 커야 한다. 그러나 그다음 A♭은 리듬단편의 끝음이므로 부드러워야 한다. 같은 마디 2번째 A♭은 새로운 리듬단편의 첫음이자 비화성음이며, 또한 긴 음이다. 따라서 악센트를 받는다. 제2마디 첫음 G도 반복음이자 계류음이고, 리듬단편의 첫음이기에, 악센트를 주어야 한다. 같은 마디 첫 F는 약한 악구의 끝음이므로 부드러워야 한다. 제1악구는 D♭화음에서 마친다.

제2마디의 2번째 F는 제2악구의 첫음이며, 붙임줄로 연장된 긴 음이자, 불협화를 이루기에 악센트를 주어야 한다. 제3마디의 A♭과 G, 그리고 특별히 긴 음인 제4마디의 F도 마찬가지로 악센트를 받는다. 제2악구는 F단조로 끝난다.

제4마디의 높은음 F는 제3악구의 첫음이며, 그룹의 최고음이자 붙임줄로 연장된 긴 음이며, 또한 B♭조 딸림7화음에 속하는 음이기에, 악센트를 주어야 한다. 제3악구의 첫음 F는 구조적으로 제1악구의 첫음 C의 완전4도 위 음이라는 점을 주목하라. 다시 말해, 주제가 새롭게 시작되고 있다. 제3악구의 첫 리듬단편은 이전 악구의 F단조에서 조가 바뀌어 B♭단조가 된다. 그다음 리듬단편은 조와 선법이 모두 바뀐 G♭장조이고, 마지막 악구는 D♭장조이다.

이 많은 리듬단편, 전조, 불협음, 계류음 등이 모두 힘을 요하는 표현적 요소들이다. 비록 위의 악구에서 평범한 정도의 힘이 필요하다고 할지라도, 〈예-566〉은 다음과 같이 표기되고 연주되어야 한다.

〈예-567〉 수정된 뉘앙스

이로써 이 책의 뉘앙스 규칙이 실제 악곡에 어떻게 적용될 수 있는지 충분히 이해했으리라 본다.

3. 실습

이제 여러분은 거장 작곡가들조차 뉘앙스에 관해 잘못 표기할 수 있음을 확신하게 되었을 것이다. 그러므로 여러분은 악보에 적힌 뉘앙스 표기를 더 이상 신뢰해서는 안 된다. 스스로 곡의 구조를 분석하여 악구 악센트를 표시하고, 특별한 상·하행 패시지를 찾아 상행 진행에서는 크레센도 하고, 하행 진행에서는 디미누엔도 해야 한다. 또한 해당 패시지에 전조나 복잡한 화성이 있는지를 고려하여, 만약 있다면 하행 악구라도 큰 음량으로 연주해야 한다. 유사한 그룹이나 악구의 반복을 찾아보고, 피아노와 포르테를 주의 깊게 교대해야 한다.

결국 뉘앙스를 적합하게 사용할 수 있는 최적의 조건은 악구에 대한 올바른 지식과 정확한 분석에 있다. 악구 구조가 질문과 대답의 대화 구조와 유사하면, 질문은 크게 연주하고, 대답은 작게 연주해야 한다. 반복도 같은 방식으로, 즉 처음에는 큰 소리로, 두 번째는 작은 소리로, 그리고 그 반대로도 연주한다. 마디나 패시지가 옥타브 높게 반복될 때, 마치 에코처럼 가능한 한 작고 부드럽게 연주해야 한다. 그러나 주제가 옥타브 관계로 반복된다면, 포르테로 연주해야 한다.

포르테 또는 포르티시모, 피아노 또는 피아니시모 등 어떤 세기로 연주하든 간에, 적합한 음량을 끌어내기 위해 박절·악구·표현 악센트에도 마땅한 주의를 기울여야 한다. 박절·악구·표현 악센트는 모두 미적 표현에 속하며, 뉘앙스 때문에 이것들이 간과되어서는 안 된다. 많은 음악가가 음악이 끝날 때 이러한 악센트들도 피아니시모 속에 사라져야 한다고 생각하지만, 이는 착각이다. 악센트들은 섬세한 메짜 보체Mezza Voce(작은 소리로)로 노래하는 카바티나에서도, 그리고 가장 강력하고 화려한 피날레에서도 마찬가지로 적절한 비율의 다이내믹으로 유지되며 안정감을 주어야 한다.

단지 악구에만 의존하는 크레센도와 디미누엔도는 적절한 한도 내에서 유지되어야 한다. 빠른 곡에서는, 크레센도와 디미누엔도 또는 피아노와 포르테에 기인한 뉘앙스들에 다른 무엇보다 가장 세심하고 중요한 주의를 주어야 한다. 같은 악구가 자주 반복되는 쿼드릴quadrille[169]과 폴카 등의 춤곡에서는 대조와 다양성이 충족되는 한 크게 연주하든 작게 연주하든 상관없다.

한편, 피아노곡에서 페달은 뉘앙스에 있어 큰 역할을 한다. 유능한 피아니스트는 페달로 소리나 패시지를 부풀려, 마치 실제로 소리가 부풀어 오르는 듯한 환상을 만들어낼 수 있다. 경험이 미숙한 어린 피아니스트가 할 수 있는 최선의 방법은 성악가와 바이올리니스트의 연주를 잘 듣고 모방하는 것이다. 성악과 현악기에서 뉘앙스에 관한 모든 것을 배울 수 있을 것이다. 또한 앞서 인용한 예시들처럼 악구 구조와 명백히 모순되는 부정확한 뉘앙스 표기들을 수정해야 한다.

---

169) [역주] Quadrille은 19세기 유럽에서 유행한 전통적인 스퀘어댄스이다.

끝으로 연주자는 뉘앙스에 관한 규칙을 아는 것 외에도, 이를 지칭하는 용어와 표현을 철저히 숙지해야 한다. 뉘앙스와 관련해 가장 많이 사용되는 용어들은 다음과 같다.

〈표-6〉 뉘앙스 관련 음악 용어

crescendo	점점 세게	*slargando*	점점 폭넓게
diminuendo	점점 여리게	*allargando*	점점 폭넓게
dolce	부드럽게	*strepitoso*	강렬하게
dolcissimo	아주 부드럽게	*rinforzando*	그 음만 세게
sotto voce	부드러운 소리로	*largamente*	보다 느리게
mezza voce	작은 소리로	*pomposo*	화려하게
una corda	약음 페달로	*grandioso*	웅장하게
con sordino	약음기를 달고	*cantabile*	노래하듯이
tre corde	약음 페달 없이	*harmonioso*	조화롭게
forte	세게	*grazioso*	우아하게
fortissimo	매우 세게	*smorzando*	점점 느리고 여리게
con tutta forza	전력을 다해	*perdendosi*	사라지듯이
subito pp	갑자기 여리게	*calando*	점점 여리게

제9장

적정 템포와 메트로놈 수치

제9장 적정 템포와 메트로놈 수치

악곡의 **적정 템포**normal temtpo란 곡의 전체 구조가 특별히 방해받지 않는 한 연주자가 연주 내내 지켜야 하는 속도를 말한다. 음악에서 템포의 주요한 3가지 종류는 다음과 같다.

1. **빠른 템포**, 또는 Presto, Allegro.
2. **보통 템포**, 또는 Moderato, Andante.
3. **느린 템포**, 또는 Grave, Lento, Adagio.

작곡가들은 일반적으로 곡의 시작 부분에 이러한 이탈리아어 용어 중 하나를 써넣어 템포를 지시한다. 이는 론도, 미뉴에트, 폴로네즈, 행진곡 등과 같이 악곡의 종류를 일컫는 이름으로도 쓰인다. 분명한 점은 이 용어들이 충분할 만큼 정확하지 못하다는 점이다. 주어진 시간에 연주할 마디나 박의 수를 명시하지 않는다면, 이러한 용어들로 템포를 정확히 지시하기란 어렵다. 이 용어들은 작곡가에 따라 매우 다양한 의미와 폭으로 사용되고 있다.

비창 소나타의 서로 다른 판본들, 즉 모셸레스, 마르몽텔, 르 쿠페, 그리고 르모와네[Lemoine] 출판사에 의해 주석이 달린 판본들은 각 악장의 템포 표기에서 다음과 같은 불일치를 드러낸다.

〈표-7〉 베토벤, 비창 소나타의 템포 표기

	Grave	Allegro	Adagio	Rondo
모셸레스	♪ = 60	𝅗𝅥 = 144	♩ = 60	𝅗𝅥 = 104
마르몽텔	♩ = 92	𝅗𝅥 = 144	♩ = 54	𝅗𝅥 = 96
르 쿠페	♩ = 44	𝅗𝅥 = 160	♩ = 40	𝅗𝅥 = 132
르모와네	♪ = 63	𝅗𝅥 = 144	♩ = 60	𝅗𝅥 = 104

존 필드의 녹턴 5번은 작곡자가 악보에 메트로놈 표기를 하지 않았기에, 다음과 같이 다양한 템포 표기로 출판되었다.

〈표-8〉 필드, 녹턴 5번의 템포 표기

마르몽텔	𝅗𝅥. = 80
르 쿠페	♩. = 92
르모와네	♩. = 70

훔멜[Hummel]170)은 그의 저서 *Grand Méthode de Piano* 의 끝부분에서

170) [역주] Jean-Népomucène Hummel(1778-1837). 오스트리아 작곡자이자 피아니스트. 모차르트와 하이든의 제자이며, 베토벤과 교류한 동시대 작곡가.

같은 음악 용어에 대한 작곡가들의 서로 다른 견해를 표로 정리했는데, 그의 조사에 의하면 베토벤의 Allegro는 크레머나 클레멘티의 Allegro만큼 빠르지 않음을 알 수 있다.

작곡가들은 동일한 용어를 서로 다르게 해석할 뿐만 아니라, 같은 작곡가의 곡에 대해서도 용어에 대한 견해가 서로 다를 수 있다. 크레머의 연습곡에서 Allegro는 ♩= 92 (연습곡 31)에서부터 ♩= 168 또는 𝅗𝅥= 84 (연습곡 8)에 이르기까지 다양하다. 반면, 2/4박자 Presto는 ♩= 138 (제2권 연습곡 17) 또는 ♩= 132 (연습곡 29)로 표기되고, Prestissimo는 𝅗𝅥= 76 (연습곡 37)으로 표기된다.

연주자가 악곡의 속도와 관련하여 마주하게 되는 어려움은 단지 적정 템포에 대한 용어의 모호성만이 아니다. 음악 용어가 이탈리아어로 된 외국어라는 점, 그리고 이탈리아어 단어의 본래 뜻에 대한 무지는 더 큰 오해의 위험을 개입시킨다. 예를 들어, 누군가는 Allegro의 지소사[171]인 Allegretto를 그것의 증가형으로 오해하고, 좀더 느린 속도가 아닌 좀더 빠른 속도로 연주한다. Andante의 지소사인 Andantino와 그 밖의 다른 용어들에도 유사한 혼동이 존재한다.

다른 오류들은 성급하게 지시사항을 추가하거나, 교정 과정에서의 부주의로 인한 것이다. 작곡가는 자기 곡의 연주 속도가 특정 메트로놈 숫자에 해당한다고 확신하고, 검증 없이 그대로 표기한다. 심지어 작곡가가 정확하게 표기했다 하더라도 연주자를 잘못 이끌 수 있다. 왜냐하면 작곡할 때 작곡가는 특이한 흥분 상태에 있거나 영감에 휩싸여 있기에, 어떤 식으로든 템포를 과장할 수 있다. 실제로 작곡가가 자기 곡의 본질에 적합

171) [역주] 지소사(指小辭, diminutive). 본래 의미보다 더 작은 것을 뜻하는 접미사.

한 속도를 완전히 오인하여 잘못 판단하거나, 부적절한 속도를 제시할 수도 있다.[172] 이 말이 이상하게 들릴지 모르지만, 사실이다. 베버의 〈마지막 생각Dernière Pensée〉, 그리고 베토벤의 〈데지르Le Désir〉[173]라고 알려진 곡은 사실 왈츠이다. 그러나 이 두 곡을 현대 왈츠처럼 빠른 템포로 연주한다면 모든 아름다움을 잃고 만다. 이 두 곡처럼 통상적인 느낌에 따라 올바른 템포가 결정된 다른 곡들도 많이 있다.

그런데 템포에 있어 가장 큰 어려움은 연주자 자신으로부터 기인한다. 한편으로, 연주자는 악보에 표기된 템포에 해당하는 정확한 진동수를 메트로놈 없이 계산하지 못할 수 있다. 그의 신경 상태나 어떤 기질이 시간에 대한 건강한 이해를 방해할 수 있다. 누구도 식전과 식후에 똑같은 속도로 연주하지 않으며, 일단 감정이 자극되면 조·선법·박자·리듬·악구 등에 있어 가장 사소하고 감지하기 어려운 불규칙성조차도 템포에 영향을 미치며 속도를 늦출 수 있다. 감정이 무뎌지면 이러한 미세한 영향들을 알아차리지 못한 채 지나칠 것이고, 연주는 무의식적인 충동에 맡겨질 것이다. 앞서 언급했듯,[174] 어떤 음악가들은 템포 감각을 전적으로 결여하고 있다. 우리는 종종 지휘자들이 템포를 너무 빠르거나 느리게 잘못 해석하여 곡을 망치는 것을 보아왔다.

---

172) 베토벤은 현악4중주 12번 E♭장조, Op. 127의 어떤 패시지에 Andante를 표기했다. 그러나 유능한 바이올리니스트 뵘Böhm은 베토벤의 면전에서 그 곡을 연주하며 이전 템포를 그대로 유지해야 더 효과적일 것으로 생각하여 자신의 해석대로 연주했다. 이를 보고 베토벤이 일어서 주머니에서 연필을 꺼내 악보의 4곳에서 Andante를 지우며 연주자에게 감사를 표했다고 한다. Dr. Märrath, *Silhouetten des Alten und des Neuen*, Vienna.

173) 실은 베버와 베토벤이 아닌, 각각 레이시거와 슈베르트의 곡이다.

174) 32쪽의 각주 15)에서 언급함.

따라서 음악 작품에 적합한 적정 템포는 어느 정도 작곡가나 연주자의 판단에 달린 것 같다. 그러나 이는 결코 연주 속도에 무심해도 좋다는 것을 의미하지 않는다. 음악은 속도에 따라 완전히 다른 성격으로 변한다. 유쾌한지 슬픈지, 냉정한지 열정적인지에 따라 표현이 커지거나 감소하고, 그 결과 완전히 다른 느낌의 음악이 된다. 따라서 이러한 이유로 **적정 템포**는 음악적 표현의 주요한 요소가 된다. 이는 결코 임의적인 규칙의 결과가 아니며, 작곡가나 연주자에게 전적으로 의존하는 것도 아니다.

사실, **악곡의 진정한 템포는 실제 구조에서 나온다.** 그러한 템포만이 악곡의 진정한 자연적 본질physiognomy을 최고로 끌어내며 내면의 생각을 가장 정확하게 해석할 수 있다. 그것만이 오직 곡의 진정한 성격을 드러내며, 듣는 이에게 특별한 감정을 불러일으킨다. 오직 적정 템포만이 음악의 진정한 사명에 응답한다. 진실한 템포는 악곡의 중심이자 고유한 공기이다. 그것은 음악을 충만하게 확장하며 힘과 아름다움을 전개하고, 표현할 수 있는 모든 것을 제공하는 유일한 분위기이다.

따라서 음악의 구조로부터 진정한 템포를 추정하는 방법을 아는 것이 매우 중요하다. 문제는 어떤 기호를 통해 적정 템포를 찾느냐이다. 어떤 그림의 전체적인 개념을 얻으려면, 그림의 윤곽을 넓히며 세부를 단순화시켜야 한다. 따라서 그림을 훨씬 더 먼 거리에서 보아야 한다. 반면, 그림의 선이 더 복잡하고 혼잡할수록, 그것을 더 가깝게 보아야 한다. 이는 원근법의 효과로, 캔버스에서 멀어질수록 넓은 캔버스에 흩어져 있는 물체들이 한눈에 모아져 보이고, 반대로 캔버스에 더 가까이 다가갈수록 멀리서 볼 때 혼란스러워 보이던 자세한 세부가 더 잘 구별된다. 음악도 마찬가지다.

그림을 보는 시점에서, 그림이 더 복잡하고 디테일로 가득 찰수록 더 가까이에서 보아야 하는 것처럼, 음악의 템포도 형식이 더 응축되고 표현적 요소, 즉 조·선법·박자·악구·화성 등의 불규칙성이 풍부할수록 더욱 느려져야 한다. 이러한 요소들은 빠른 템포와 양립할 수 없다. 여러 성부로 구성되거나, 불협화음·계류음·선행음·예상치 못한 전조 등으로 화성이 복잡한 빠른 곡을 따라잡기란 가장 훈련이 잘된 귀조차도 어려운 일이다. 귀는 곧 노력에 지쳐 음악을 식별하고 이해하는 것을 포기하게 될 것이다. 따라서 표현성이 풍부한 곡은 귀가 각각의 요소를 인식하고 따라갈 수 있는 충분한 시간이 주어지도록 느리게 연주해야 한다.

다른 한편으로, 넓고 두드러진 윤곽을 지닌 프레스코 벽화나 스케치는 전체 그림을 파악하기 위해 충분한 거리를 두고 보아야 하듯, 명확하고 넓은 윤곽을 지닌 음악 역시 세부와 장식에 혼동되지 않으려면 빠르게 연주해야 한다. 빠른 템포로 연주할 때 고립된 요소들이 서로 더 가까이 모이며 연결될 수 있다. 그렇지 않으면 귀는 흩어진 요소들의 전반적 개념과 곡의 전체 계획 및 통일성을 이해하고자 헛되이 노력할 것이다. 이러한 종류의 음악은 낱장으로 된 그림을 빠르게 교체하며 진짜 온전한 형태인 것처럼 보이게 하는 시각적 놀이와 닮았다.

한편 대중은 일반적으로 Adagio에 관심이 없다. 이것은 (이런 표현이 허용된다면) 일종의 귀 근시안에서 비롯되며, 이러한 이들은 음악의 리듬 범주와 악구를 파악하거나 수용하지 못한다.

이러한 고려를 통해 모든 연주자는 음악의 구조로부터 마땅히 그래야 하는 적정 템포를 찾아낼 수 있을 것이다.

악장의 템포를 결정할 때, 각 마디와 박에 포함된 음의 수, 선율에 대한 반주 음의 수, 그리고 가장 현저한 리듬 형태를 살펴보아야 한다. 음들이 서로 규칙적으로 이어지는지 아니면 불규칙한지, 연속적인지 불연속적인지, 상행 진행인지 하행 진행인지, 3도나 6도 음정을 이루는지 등을 확인해야 한다. 반음계적 음정이나 큰 폭의 도약, 반복음, 상·하위 보조음, 셋잇단음 등이 있는지도 살펴야 한다. 이 모든 요소가 느린 템포를 지시한다.

박자 구조가 분명하고 리듬형이 단순하고 균일하면, 흩어진 음들을 함께 모아 응집력과 통일성을 부여하기 위해 템포가 빨라야 한다. 악구도 같은 방식으로 분석해야 한다. 악구가 규칙적인지 불규칙한지, 반복적인지 다양한지, 악구에 짧은 음과 함께 간헐적으로 긴 음이 있는지, 악구가 강박에서 시작하는지 약박에서 시작하는지 등을 확인해야 한다.

3·5·7 마디로 구성된 불규칙한 악구나 약박 또는 약한 분박에서 시작하는 악구는 느리거나 중간 정도의 템포로 연주한다. 그에 반해 규칙적인 악구는 빠른 템포로 연주한다.

또한 성부의 수와 편성 악기의 수도 고려해야 한다. 화성에 반음계적 화음, 불협화음, 계류음, 선행음, 지연음이 많을수록, 듣는 이가 이를 식별하고 이해할 시간이 필요하기에 더 느린 템포가 요구된다. 반면에 단순한 화성은 쉽게 파악되므로, 더 빠르게 연주해도 좋다.

마지막으로, 악곡의 음고 및 조와 선법을 분석해야 한다. 악기의 낮은 음역으로 작곡된 곡은 효과적인 연주를 위해 느린 템포가 좋다. 낮은 소리는 진동이 적은 길고 굵은 현으로부터 생성되므로, 충분한 폭과 풍성함을 얻기 위해 단단한 소리로 느리게 연주해야 한다.

단음계는 슬픔과 우울을 연상시키기에 일반적으로 속도가 감소한다. 게다가 단음계에는 반음계적 음정이나 증·감 음정이 포함되기에, 느린 템포가 더욱 적합하다. 느리게 연주해야 듣는 이가 단음계의 표현적인 요소와 섬세한 뉘앙스를 더 잘 포착할 수 있다.

이로써 다음 3가지 종류의 주요한 템포가 도출된다.

1. 풍부한 화음, 그리고 계류음 · 선행음 · 불협화음 · 반복음 · 전타음이 가득한 곡, 또는 불규칙한 악구, 낮은 음고나 특별히 긴 음이 있는 악구로 작곡된 곡은 느리게 연주해야 한다. Adagio, Largo, Andante, Nocturne, Rêvery[몽상곡] 등이 그렇다. 이러한 곡은 악구 악센트, 표현 악센트, 뉘앙스, 감정적 요소가 우세하며, 열정적인 연주로 표현성과 감정을 가득 담아야 한다.

2. 규칙적이지만 박자와 리듬이 약간은 변화하며, 박절 악센트와 악구 악센트가 일치하고 화음이 단순한 곡은 빠르게 연주해야 한다. 이러한 곡에서는 박절 악센트와 적정 템포가 지배적이어야 한다. 포르테와 피아노, 크레센도와 디미누엔도에 의한 대조는 필요하지만, 랄렌탄도와 아첼레란도, 내지 표현 악센트는 거의 또는 전혀 필요하지 않다. 빠른 템포는 마치 목수의 평평한 작업용 목판과 같아서, 모든 불균등과 불규칙성을 무시하며 음들을 평평하게 맞춘다. 빠른 템포는 연주자가 악구 첫음에 머물러 있는 것을 허용하지 않는다. 그러나 악구 첫음이 박절 악센트와 일치할 때는 예외이다. 빠른 템포의 곡은 화려하고 명확하며 극도로 결단력 있게 연주해야 한다. 어떠한 가식적이거나 잘못된 감정의 흔적도 없어야 한다. Presto, Allegro, 타란텔라, 갤럽 같은 곡이 이러한 범주에 속한다.

3. 화성과 리듬이 어느 정도 풍부하지만, 그리 복잡하거나 불규칙적이지 않은 곡은 보통 빠르기로 연주한다. 이런 곡에서는 박절 · 악구 · 표현 악센트, 뉘앙스, 템포 루바토와 같은 감정적 요소가 작용할 수 있지만, 절제하고 신중해야 한다. 분명한 점은 악장 시작 부분에 표기된 템포가 반드시 처음부터 끝까지 적용되지는 않는다는 점이다. 악구의 화성과 리듬구조가 변하면 속도도 달라져야 한다. 가장 열정적이고 화려한 Allegro도 종종 갑자기 우울하고 몽환적인 분위기로 바뀔 수 있다. 이렇게 변화된 악구나 패시지에서 기존 템포를 계속 유지하기란 불가능하다. 만약 악구 변화에 따라 템포를 조절하지 않는다면, 곡의 시적인 감성이 파괴될 것이다. 반면, Adagio에서 종종 더 빠른 속도가 요구되는 악구를 만날 수도 있다. 따라서 적정 템포를 판단하기 위해서는 곡의 전체적인 구조와 개별적인 구성을 모두 세밀히 분석하며 템포를 조절해야 한다.

이러한 템포 원칙을 앞서 다루었던 선율, 악구, 화성, 조성 및 선법 구조에 적용하면, 어떤 연주자라도 곡의 **적정 템포**를 찾아낼 수 있다. 작곡가의 잘못된 판단, 이탈리아어 용어와 메트로놈 수치 간의 모순,[175] 연주 불가능한 템포,[176] 음악 구조와 템포 간의 불일치,[177] 끝으로 (클래식 원전판에서 종종 그렇듯) 템포 표기의 부재 등으로부터 비롯된 잘못된 해석과 연주를 피할 수 있을 것이다.

---

175) 베토벤의 비창 소나타, 서주와 같이 복잡하고 표현적 변화가 풍부한 곳에 적힌 메트로놈 수치 ♩= 92와 이탈리아 용어 Grave 간의 모순이 그렇다.

176) 리스트의 〈베네치아의 뱃노래Regata Venezianna〉에도 적용된다. 324쪽을 참고하라.

177) 모차르트의 피아노 소나타 11번, 미뉴에트도 그렇다. 2번째 악구에는 불협화음, 계류음, 반음계적 화음 등이 가득한데, 이 모든 사항이 빠른 템포로 인해 소실되고 파괴될 수 있다. 게다가 미뉴에트는 빠른 템포보다는 느린 템포를 요구하는 어떤 중력을 지니므로, 서두르지 말고 신중하게 연주해야 한다. 빠르게 연주해 더욱 화려하고 난이도 있게 들리도록 연출한다면, 연주를 망치기만 할 뿐이다.

물론, 오직 예술가와 숙련된 아마추어만이 이러한 어려움을 이해하고 극복할 수 있을 것이다. 그들조차도 오랜 연구와 끈질긴 연습을 거쳐야만 가능할 것이다. 템포 감각은 다른 능력과 마찬가지로 훈련을 통해 향상될 수 있다. 유능한 음악가는 클래식 음악을 듣고 연주하며 전통적으로 아주 잘 조절된 속도감을 익힐 것이다. 이를 통해 마침내 적정 템포에 대한 본능적 감각을 획득하여, 마치 화가가 그림을 가장 잘 볼 수 있는 유리한 시점을 찾아내듯, 모든 종류의 음악에 훈련된 템포 감각을 적용할 수 있을 것이다.

실습

본질적으로 여러분은 템포 규칙에 부합하는 메트로놈 수치에 익숙해져야 한다. 처음부터 모든 곡의 메트로놈 수치의 상대값을 철저히 습득해야 한다.

다음 표는 템포를 지시하는 주요 용어들과 메트로놈 수치를 적합하게 연결할 수 있도록 연주자를 도울 것이다. 그러나 표를 제시하기 전에, 먼저 이 표를 만들게 된 기본 원칙을 설명하고자 한다.

귀가 템포를 인지하는 유일한 단위인 박 또는 마디의 지속시간에만 메트로놈 수치를 적용하는 것이 논리적이다. 메트로놈 수치를 '박'에 대입할 때, 이런 식으로 한다. 4/4박자에서 M.M. ♩= 60[178]은 1분간 60박을 연주하는 속도이고, M.M. ♩= 80은 1분간 80박을 연주하는 속

178) M.M.은 일반적으로 Maelzel's Metronome을 뜻한다.

도이다. 메트로놈 수치를 '마디'에 대입할 경우, M.M. 𝅝 = 15는 1분간 15마디를 연주하는 속도이고, M.M. 𝅝 = 20은 1분간 20마디를 연주하는 속도이다.

그러나 박 또는 마디의 지속시간을 대표하지 않는 음표에 메트로놈 지시를 주는 것은 비합리적이다. 예를 들어, 6/8박자 곡에서 4분음표는 박의 2/3에 해당하기에, 메트로놈의 기준 음표가 될 수 없다. 마찬가지로 3/4박자 곡에서 2분음표는 마디의 2/3에 해당하므로, 역시 메트로놈의 기준 음표가 될 수 없다. 그런데 〈무도회의 권유〉를 "Allegro, 𝅗𝅥 = 88"로 표기한 유명 판본이 있다. 그 곡은 3/4박자이므로, 메트로놈 수치를 '박'에 준하면 기준 음표는 4분음표가 되어야 하고, '마디'에 준하면 점2분음표가 되어야 한다. 이 외의 다른 표기는 잘못된 것이거나 혼란을 초래할 수 있다.

리스트도 〈베네치아의 뱃노래Regata Venezianna〉에서 유사한 실수를 범했다. 6/8박자의 곡을 ♩= 192로 표기했다. 여기서 4분음표는 박도, 마디도, 1/3 분박도 대표하지 못하며, 다만 2/3박일 뿐이다. 이는 인쇄 오류일 가능성이 높다. 실은 리스트는 ♪= 192 또는 6/8박자에서 1박 길이인 ♩. = 64를 의도했을 것이다.

Liszt, Soirées Musicales No. 2, "La Regatta Veneziana"

이제 주요 템포 용어와 연관된 메트로놈 진동수의 표를 제시한다. 다음 표에서 1분간 진동수는 (박이 대표하는 음표가 무엇이든 상관없이) 곡의 '박'을 나타내며, 홑박자와 겹박자 모두 적용된다. 예를 들어, "Moderato, ♩ = 80"은 4분음표 기준으로 메트로놈이 1분간 80회 진동하는 템포이다. 지시에 따라 1분간 4분음표 80회, 2분음표 40회, 온음표 20회, 8분음표 116회, 16분음표 232회 등으로 연주한다.

〈표-9〉 주요 템포의 메트로놈 진동수

	이탈리아어 템포 용어	1분간 진동수
느린 템포	Largo 또는 Adagio	40 ~ 60
	Larghetto	60 ~ 72
보통 템포	Andante	72 ~ 84
	Andantino	84 ~ 120
	Allegretto	
빠른 템포	Allegro	120 ~ 150
	Presto	150 ~ 180
	Prestissimo	180 ~ 208

물론, 각 템포 용어에 고정적인 진동수를 대입하려는 것은 아니다. 겹박자 또는 3분박이 지배적인 홑박자에서는 1박에 3개의 음이 올 수 있으며, 여분의 음들도 고려해야 한다. 이러한 추가적 음들이 자연히 템포를 더욱 압박하거나 촉박해지도록 만들기 때문이다.

작곡가들에게 당부한다. 이탈리아어 템포 용어를 포기하고, 최대한 주의 깊고 정확하게 메트로놈 수치를 결정하여 이런 방식으로 템포를 표기할 것을 전적으로 권한다. 메트로놈 수치를 정하기 전에 새로 작곡한 곡의 구조를 일단 분석하고, 아침과 저녁 등 하루 중 서로 다른 시간에 반복해서 연주해 보며 적정 템포를 결정한다. 연주를 시작하기 전이 아니라 연주 도중에 매번 메트로놈을 참고하여 해당 수치를 표시해야 한다. 이러한 여러 번의 시도를 통해 얻은 메트로놈 수치의 평균값은 거의 정확한 템포를 제공해 줄 것이다.

아마추어나 학생들은 다음과 같은 연습을 자주 반복하면 좋다. (1) 곡을 연주하기 전에 메트로놈 수치 또는 이탈리아어 용어로 지시된 속도에 맞게 박자를 두드려 보고, 그것을 실제 메트로놈과 맞춰보며 수정하거나 확인한다. (2) 어떤 곡의 시작 부분을 메트로놈에 맞춰 연주한 다음, 그것을 치워둬라. 잠시 후에 그 곡을 다시 연주하는데, 우선 메트로놈 없이 연주해 보며 실제 속도와 비교·수정한다. (3) 같은 템포 용어(예를 들어, Andante)에 대해 고전곡과 현대곡에서 여러 작곡가가 사용한 각각의 메트로놈 수치를 표시하고, 그 결과를 비교한다.

매우 빠른 템포에서는 혼란을 피하도록 진동수를 1/2로 줄여, 상대적으로 더 긴 음을 기준으로 메트로놈 수치를 제시하는 편이 좋다. 예를 들어, 4/4박자 곡에서 ♩= 160의 진동수는, 4분음표 대신 2분음표를 기준으로 𝅗𝅥 = 80으로 표기하는 편이 더 좋다. 반면, 매우 느린 템포에서는 상대적으로 긴 음표 대신 짧은 음표를 기준으로 하여 𝅗𝅥 = 40보다 ♩= 80으로, 즉 진동수를 2배로 표기하는 편이 더 좋다.

몽상곡, 녹턴, Adagio 곡, 그 밖의 표현적인 곡은 학생들이 선율감을 익히기에 유용하지만, 템포감에 있어서는 정반대인 경우가 많다. 느린 템포의 곡을 너무 오랫동안 연주하면 너무 느리게 연주하는 습관을 갖기 쉽다. 반면, 빠른 템포의 곡은 오히려 감정을 파괴하고 단지 기계적으로 연주하는 경향을 조성할 수 있다. 그러므로 두 종류의 음악을 동등하게 연구하고 연습하는 것이 필요하다.

메트로놈이 없다면 다음과 같은 방법으로 부족한 점을 보완할 수 있다.[179] 정확한 템포를 잘못 잡을 일이 없는 유명한 대중가요 몇 곡을 골라라. 서너 곡이면 충분하다. 계속적으로 속도를 2배로 높이거나 반으로 줄이면, 즉 적정 템포보다 2배 빠르게 또는 2배 느리게 노래하면, 12개의 주요 템포를 얻을 수 있다.

예를 들어, 2/4박자로 된 〈달빛 속에서Au clair de la lune〉라는 노래를 고른다. 이 곡의 적정 템포는 '♩= 60, Moderato'이다. 이 곡을 기준으로 'Allegro, ♩= 120'의 템포를 찾아보자. 〈달빛 속에서〉의 적정 템포 60을 항상 정확히 유지하며 이제 각 박에 4분음표 2개의 음을 넣어, 2배로 빠르게 부른다. 그러다가 갑자기 분박된 2개 음을 각각 박으로 세면, 정확히 'Allegro, ♩= 120'에 해당하는 템포를 얻게 된다. 반대로 'Largo, ♩= 30'의 템포를 찾는다면, 같은 템포를 유지하면서 두 박 동안 4분음표 1개를 부른다. 그러다가 2번째 박을 생략하고 두 박을 한 박으로 세면, 'Largo, ♩= 30'의 템포를 얻게 된다.

폴카의 적정 템포는 ♩= 116이다. 진동수를 2배로 늘리면, Prestissimo에 해당하는 ♩= 232의 템포를 얻게 되고, 진동수를 1/2로 줄이면, Largetto에 해당하는 ♩= 58의 템포를 얻게 된다. 왈츠에 𝅗𝅥.= 84의 템

---

179) [역주] 이 책이 집필된 시대가 19세기라는 점을 감안하자.

포를 준다. 이 템포는 기억하기 쉽기에 왈츠를 흥얼거리면서 84의 배수인 168과 그 절반인 42의 속도를 쉽게 유도할 수 있다.

대중적인 선율을 이용한 이러한 간단하고 실용적이며 유익한 템포 훈련법은 실제로 휴대용 메트로놈 기억장치가 되어 준다. 이러한 방식은 특정 유형의 곡에 미뉴에트, 가보트, 샤콘느 등의 명칭을 사용하는 오랜 관습과 유사하다. 이러한 곡명은 곡의 성격을 지시하기 위해 붙여졌다기보다 그 곡의 연주에 적합한 박자와 템포를 지시하기 위해서 붙여진 것이다.

모든 종류의 곡이 저마다의 특정한 형식과 성격 및 템포를 지니기에, 음악가는 타란텔라, 갤럽, 행진곡, 볼레로, 미뉴에트, 왈츠 등과 같은 곡에서 접할 수 있는 모든 다양성을 잘 알고 있어야만 한다.

이 기회를 빌려 음악을 이해하는 데 있어 템포가 얼마나 중요한지를 음악 교육자들에게 상기하고 싶다. 특히 흰 페이지[180]를 조심해야 한다. 예를 들어, 수년 동안 연습해도 만족스럽게 연주하지 못하는 학생들에게 베버의 〈무도회의 권유〉가 얼마나 자주 주어지는가. 그 곡은 정확한 템포로 연주하기가 무척 어렵기에 교사는 어쩔 수 없이 그 곡을 지나치게 느리게 연주하도록 학생을 지도하며, 그 결과 교사 자신과 학생의 음악적 정서를 모두 망가뜨린다.

종종 학생들에게 그들의 능력을 넘어서는 곡을 주는 것은 곡의 난이도에 대한 교사의 잘못된 피상적인 평가에서 비롯된다. 다시 말해, 어

180) [역주] 저자가 말하는 white page는 음이 듬성듬성 적혀있어 쉬워 보인다고 착각하게 만드는 악보이고, 반대로 black page는 음이 빼곡히 들어차 있어 어려울 것처럼 보이지만 실은 상대적으로 어렵지 않은 악보를 뜻한다.

떤 곡이 4분음표와 8분음표만으로 되었으니 쉬울 것으로 판단하여, (난이도를 지닌) 곡을 그저 희고 순수하게만 보는 것이다! 반면, 교사가 곡의 첫머리에서 Allegro라는 끔찍한 단어를 본다면, 주저할 것이다. 결국, 곡의 난이도 평가를 연주 속도로만 판단하는 것이다.

〈무도회의 권유〉를 통해 시사한 현실이 다른 여러 곡에서도 나타난다. 예를 들어, 베토벤의 비창 소나타와 Ab장조 소나타, Op.26의 경우, 흰 페이지가 기술적으로 가장 어렵고, 반면 검은 페이지는 훨씬 더 쉽다. 모든 악기는 연주 구성에 있어 저마다 본유적인 고유한 어려움을 지닌다. 예를 들어, 피아노에서 하행하는 왼손 패시지는 그것이 스케일이든 아르페지오이든 간에 매우 어렵다. 특히 스타카토(♪♪), 점음표(♪♪) 또는 연장된 8분음표(♪♪♪), 쿨레 음형(♪♪♪♪), 3도나 6도 음정 시퀀스가 포함된 패시지, 그리고 순차나 도약 진행 중 특수한 중단이 발생할 때 연주의 어려움이 상당히 커진다. 이러한 사항들에는 아무리 많은 관심을 두어도 지나치지 않다.

이제 우리는 음악적 표현의 모든 다양한 현상을 검토했다. 힘, 템포, 뉘앙스의 3가지 현상에서 소위 **표현 악센트**를 분석했으며, 그 분석은 표현적 감정의 본능적인 힘을 놀라운 방식으로 보여주었다.

조・선법・박자・악구의 가장 미묘하고 감지하기 힘든 불규칙성을 놀라운 확실성으로 신속하게 찾아내는 음악 거장들의 훌륭한 직관과 열정에 존경심을 표하지 않을 수 없다. 수 세기 동안 음악적 본능은 이 모든 섬세하고 다양하며 복잡한 사실들을 발견해 왔으며, 음악을 감상할 수 있는 모든 이들을 매혹하고 기쁘게 만드는 숭고한 효과로서의 영감을 예술가들에게 주었다.

그러나 이제야 비로소 이성이 이러한 음악적 표현 현상의 원인과 그것을 지배하는 법칙을 이해하고, 과학이 감정을 효과적으로 지원하며 감정의 결함을 보완할 수 있게 되었다. 감정은 이러한 표현적 현상의 모든 숭고한 종합과 미묘한 세부를 자발적으로 파악하지만, 이성의 빛은 수년간의 연구와 경험을 거쳐 이제 표현의 본질이 무엇인지 서서히 꿰뚫고 있다. 그토록 놀라운 재능을 타고난 음악가들에 대한 오마쥬를 누가 거부할 수 있겠는가? 이 감탄을 더 자세히 다시 한번 더 말하고 싶다. 고상한 감정을 지녔으면서도 그것을 순수하고 섬세한 예술적 미감의 법칙에 순종할 줄 아는 예술가, 화가, 조각가, 웅변가, 시인에 대한 존경심을 누가 감히 거부할 수 있겠는가?

- 마침 -

● 역자 후기

이 책은 서양클래식음악 중 피아노곡 연주에 중점을 둔 책이다. 그러나 피아노뿐 아니라 현악기와 관악기, 그리고 서양악기뿐 아니라 국악기 연주자에게도 큰 도움이 될 내용을 담고 있다. 국악 연주자도 전통음악 못지않게 많은 창작곡을 연주해야 하며, 특히 초연 악보를 연주해야 할 일이 많다. 작곡가에게 새 곡의 악보를 처음 받으면 악곡을 분석하며 어떻게 표현해야 할지를 고심하게 된다. 그럴 때 이 책이 어느 정도 연주자를 안심시켜 줄 수 있는 유용한 나침반이 되어주리라 본다.

악보에 적힌 곡은 연주자가 어떻게 해석하고 표현하는지에 따라 완전히 다른 곡이 될 수도 있다. 그만큼 연주자의 표현력은 음악을 완성하는 매우 핵심적인 요인 중 하나임이 틀림없다. 이론가가 아닌 연주자의 관점에서 악센트, 악구 분석, 다이내믹, 뉘앙스, 템포 조절 등을 논리적으로 상세히 연구한 책인 루시의 *Musical Expression*이 한국어로 출판되어 기쁘다. 함께 번역하자고 제의해 준 이수경 연구자님께 감사하다. 이 책이 음악을 사랑하는 많은 이들에게 도움 되기를 바란다.

2024년 2월
유경은

음악을 진짜로 세상에 있게 하는 이들은 연주자들이다. 주로 머리를 쓰는 이론가와 작곡가의 입장에서 볼 때 음악을 온몸으로 표현하며 감동적인 소리를 창조하는 연주자들에게 존경과 감탄을 느낀 적이 한두 번이 아니다. 연주자는 실제로 소리를 만들어 내지만, 작곡가는 악보에 자신을 남기고, 이론가는 작곡가보다도 더욱 추상적인 개념의 세계에서 작업한다. 국악 장단의 정체를 파헤치며 인지심리적으로 분석하기 위해, 리듬론의 원서들을 접하며 Mathis Lussy를 처음 알게 되었다. 오래전 작곡학도였을 때 루시를 알게 되었더라면 더 좋았을 것을 … 하는 생각이 들었다. 예전 어느 선생님께 들은 말들이 여기 모두 적혀 있었다. 그 시절 내게 이 책의 존재를 알려주었더라면 좋았을 것을. 이제라도 마티스 루시의 *Musical Expression*을 한국어로 번역출판하게 되어 기쁘다.

이 책은 연주자뿐 아니라 작곡가와 이론가도 반드시 알아야 할 매우 유용한 음악적 진실들을 담고 있다. 19세기 사람인 루시는 자신이 정립한 음악적 표현 법칙이 현대 신경과학적 연구와 밀접히 연관되며, 자신의 경험적 관찰 결과가 인지과학적으로도 지지받을 수 있다는 점을 알지 못하고 떠났다. 루시에게 선견지명이 있었던 셈이다. 그것은 아마도 그가 머리로 작업하는 이론가나 작곡가가 아닌, 몸을 쓰며 직접 체험하는 연주가였기에 가능한 일이었을 것이다. 지구별을 따뜻하고 빛나게 밝혀주는 모든 음악 영혼들에게 온 마음을 담아 감사를 전한다.

2024년 2월
이수경

이수경

음악을 연구하고, 명상을 하고, 꿈을 분석하며, 글을 쓰고, 작곡을 한다. 현재 중앙대학교에서 한국음악분석과 비평론을 강의한다. 성신여자대학교 작곡 학사, 서울대학교 음악학 석사, 한국학중앙연구원 문학 박사를 수여했다. 저서로 『한국음악 장단의 인지심리학적 이해』, 『음악서사학과 위상수학의 에지』, 『음악비평의 이론과 실제』, 『지난밤 꿈에 말이야: 꿈·상징·음악』 등이 있다.

유경은

대금 연주자다. 서울대학교 국악과를 졸업하고, 동대학원에서 석사와 박사를 수여했다. 서울대학교와 이화여자대학교 강사를 역임했다. 서울시 무형문화재 제44호 삼현육각을 이수했고, 현재 안산시립국악단 상임단원이며, 한국예술종합학교에 출강한다. 대금 위촉초연작품, 현악영산회상, 삼현영산회상, 염불풍류, 취타풍류, 대금산조 등 다양한 주제로 여러 공연을 했고, 음반 『유경은의 대금, 새면치다』를 발매했다.

음악적 표현 악센트, 뉘앙스, 템포

지은이 Mathis Lussy
옮긴이 이수경 · 유경은

발 행 2024년 2월 23일
펴낸이 한건희
펴낸곳 주식회사 부크크
출판사등록 2014.07.15.(제2014-16호)
주 소 서울특별시 금천구 가산디지털1로 119 SK트윈타워 A동 305호
전 화 1670-8316
이메일 info@bookk.co.kr

ISBN 979-11-410-7146-2

www.bookk.co.kr